三島由紀夫『作家論』

三島由紀夫研究 ㉑

〔責任編集〕
松本　徹
佐藤秀明
井上隆史
山中剛史

鼎書房

目次

三島由紀夫研究㉑

特集 三島由紀夫・『作家論』

●寄 稿

●資　料

●書　評

特集　三島由紀夫・『作家論』

三島由紀夫「森鷗外」の奇縁

――「憂国」と『堺港攘夷始末』、そして『雁』――

酒井　敏

はじめに

久しぶりに三島由紀夫の「森鷗外」（『作家論―新装版』中公文庫、二〇一六年五月。以下『作家論』と記し、引用も同書に拠る）を読み返し、歴史小説や史伝（以下、最近の慣例に従い、本稿では両者を総称して「歴史文学」と記す）が論じられていないのを残念に思うと共に、『雁』（籾山書店、大正4年5月）に対する評の卓抜さに改めて感じ入った。

残念に思ったのは、読み換えを模索中の「阿部一族」（『中央公論』大正2年1月）について、当時の三島がどう読んだかを知る手掛かりが得られるかと期待していたからである。しかし、初出を確認して、そもそも無理な注文だったと納得した。一方、そのおかげで予期せぬ気付きがあり、面白い発見ができたように思う。緻密な論と言うわけにはゆかないが、その気付きによって紡がれた物語から拙論を始めたい。

二つの「解説」

「森鷗外」の初出について、『作家論』巻末には、「昭和41年1月「日本の文学」2」としか書かれていない[1]。より正確に記すと「中央公論社刊『日本の文学2　森鷗外㈠』「解説」」であり、ここから明らかなように、このシリーズには『森鷗外㈡』（昭和42年1月）がある[2]。『㈠』は二一編の小説と四編の随筆で構成されているが、全て現代小説（以下、同様に「近代小説」と記す）で、随筆の一編として「歴史其儘と歴史離れ」（『心の花』大正4年1月）が含まれている[3]以外、歴史文学は全く収録されていない。言わば『㈠』が近代小説集、『㈡』が歴史文学集として編集されているのである。そして、『㈡』の「解説」を執筆したのは大岡昇平であった。

三島・大岡は共にシリーズの編集委員であり、年齢差はあっても、その点において両者に軽重はない。三島には「鷗外の短篇小説」(『文芸臨時増刊号　森鷗外読本』昭和31年7月)がある一方、大岡は昭和三八年から三九年にかけて『文學界』に連載した一連の歴史小説論[4]で、繰り返し鷗外の歴史文学に言及していた。さらに言えば、この頃の大岡は、それらの論によって歴史文学論のパイオニアにして第一人者とも言うべき位置を占めていた[5]から、この分担は自然だと言えよう。

そして、鷗外の歴史文学と大岡と言えば、「「堺事件」論争」の契機となった「『堺事件』の構図—森鷗外における切盛と捏造—」(『文学における虚と実』講談社、昭和51年6月[6])が、すぐ思い浮かぶ。しかし、大岡は最初から「堺事件」(『新小説』大正3年2月)に注目していたわけではなかった。

例えば、「歴史小説の発生」(『文學界』昭和39年3月)には「わが国の歴史小説論は、いまだに」「森鷗外の史伝という記念碑」「の前を行きつ戻りつしている」とあり、大岡が歴史小説論の早い時期から鷗外の歴史文学に関心を寄せ、一つの標準と見ていたことが窺える。ただし、この一連の歴史小説論において、主に言及されるのは「阿部一族」(『中央公論』大正2年1月)や「大塩平八郎」(『中央公論』大正3年1月)であり、「堺事件」については特に言及していない。『(二)』の「解説」で初めて、「堺事件」にスポットが当たるのである。

この「解説」では「中編の傑作「大塩平八郎」」「大塩の乱と社会主義」「史料の分析と推理の方法」と小見出しのある三節で「大塩平八郎」について述べ、その「史料の分析と推理の方法」の節で、

> 「大塩平八郎」につづいて「堺事件」「安井夫人」「栗山大膳」が書かれる。「堺事件」では土佐藩兵の集団切腹を見て、狼狽して立ち去るフランス士官を書いた。事件はいくぶん国粋的に美化され、事実の認定が不公平である。

と「堺事件」に言及される。注7に引用する「大塩平八郎　附録」に関わるコメントもこの節に含まれており、この「解説」は鷗外の歴史文学を高く評価する立場から書かれていると言えよう[7]。もちろん批判的な見解を述べている箇所もあるが、この一節のように批判したまま語り終える例は珍しく、「解説」全体の文脈から浮いている印象さえ受ける。何しろ、四頁ほど前には「(名作「興津弥五右衛門の遺書」に・酒井注)続けて「阿部一族」「大塩平八郎」「堺事件」などが書かれ、ゆたかな歴史小説創作の時期に入る。」と記されているのだから。

「傑作」「大塩平八郎」と並んで「ゆたかな歴史小説創作の時期」を彩る一作品だったはずの「堺事件」は、ここで

にわかに批判的な眼差しを向けられ、その評価も逆転したのである。この二箇所における叙述の矛盾と論理の混乱は明らかであろう。この混乱には、「堺事件」の作中に想定外の「切盛と捏造」を見出してしまった大岡の驚きと戸惑いが刻印されているのではあるまいか。その意味で、この「解説」こそが、『堺港攘夷始末』[8]を絶筆として遺すまでに成長する、「堺事件」と大岡の「格闘」の出発点だったと考えられる[9]。

『堺港攘夷始末』と「憂国」

そして、『レイテ戦記』（『中央公論』昭和42年1月～44年7月。47年8月、中央公論社より単行出版）を経て、大岡は前章に記した歴史小説論の総括として「歴史小説の問題」（『文學界』昭和46年9月）を書く。そこでは、「堺事件」を「鷗外が「大塩平八郎」を書いた直後、一つの資料に基いて、比較的楽に書き飛ばしたもの」と位置付け、以下の三点を主な問題点とする、まとまった批判を展開した。

①「種本」の誤りを踏襲したため、フランス兵が「恐怖にかられて逃げ出したと、愛国的に描写した」（この論点には「一つの資料」しか見ていないという調査の不足・不徹底も含まれる）。

②「命が助かった九人」の「処分」をめぐって、「維新後の天皇の治世では、土佐藩のような片手落ちな処理はないという聖恩感謝の構造を持」つ作品に仕立てている。

③陸海軍に強い逆風が吹く時代状況の下に「山県有朋の文化顧問」として書いた、「三十年後の戦争下の戦意高揚小説の走りともいうべき」小説である。

「大塩平八郎」と並称されたのが嘘のような貶価であり、具体的・詳細に論じられてはいるが、三点とも「解説」での批判の発展と言えよう。そして、翌年から始まる「「堺事件」論争」でも、これらは大岡の主張の核となる。「解説」で芽生えた問題意識が次第に成長してゆく様相が明らかであろう。

そして、「森鷗外における切盛と捏造」に「なお私は日仏双方の記録を対照して事件を再構成した報告を、近く文芸雑誌「海」に発表する予定である。」との予告があるように、実作による「格闘」への展開が早くから組み込まれていた。大岡の本質が小説家であるゆえの、業のようなものだろうか。

ここまでの展開を確認しさえすれば本稿には充分であり、「「堺事件」論争」をたどり直すつもりはない。ふとした叙述や必ずしも力作ではなかった作品が、思いもしなかった形で、それを生み出した作者の人生に影響を及ぼし、時には支配してしまう。「解説」執筆中に発見した「堺事件」における鷗外の方法の綻びが、そんな事態に大岡を搦め取ったと映る。「報告を、近く」「発表する予定」という書きぶりから、現在遺されている『堺港攘夷始末』のようなボリュームは想定できまい。「堺事件」に対する真の批判としての、事件を「公平」（＝正当）に描いた実作も、大岡の予想や計画を越えて成長を続けたのである。作者が作品を書き進めるのではなく、作品が作者を駆って自らを成長させてゆく。一般的な理解とは逆転した、そんなデモーニッシュなありようが窺えよう。

　そして、そのありようは「憂国」（『小説中央公論』昭和36年1月）と三島の関係を想起させる。その日が近付くと毎年のように「憂国忌」が話題にされることもあって、今日では一般に三島を象徴する作品と受け取られている「憂国」であるが、そんな扱いを発表当時から受けていたわけではない。最初に収録された単行本は『スタア』（新潮社、昭和36年1月）で、つまり表題作でさえなかった。

　その「あとがき」では、

　　昔から忠勇義烈な人たちの死について言はれて来た常套句にあきたらない私が、その「花と散つた」とか、「桜の散りぎはのやうにいさぎよく」とかの美辞麗句を、徹底的に分析して、その言葉の意味内容を精密に検討しようとした試みである。

と作意を述べ、さらに「偶像破壊、英雄否定のテーマとは根本的にちがふ」科学的な観察に基づく「臨床的記述」であると、対象と距離を取った客観的な執筆姿勢に言及している。続けて「どんな英雄的性格も」「臨床的記述を免かれないといふのが、私の当然な意見である」[10]とも述べているように、現実世界の行為に対しても同様の距離を保ち、観察し分析する姿勢で向き合っているのが明らかであろう。この段階での「憂国」は、知的で冷静な分析的態度にこそ比重のかかった小説であって、人を直接行動へと誘うような熱度の高い小説ではなかったのである。

　しかし、『花ざかりの森・憂国』（新潮文庫、昭和43年9月）の「解説」[11]では、「憂国」の位置付けがはっきりと変化する。「単なる二・二六事件外伝」としながらも、

　　ここに描かれた愛と死の光景、エロスと大義との完全な融合と相乗作用は、私がこの人生に期待する唯一の至福であると云つてよい。しかし、悲しいことに、このやうな至福は、つひに書物の紙の上にしか実現されえないのかもしれず、それならそれで、私は小説家として、『憂国』一編を書きえたことを以て、満足すべきかもしれない。

と述べ、「三島のよいところ悪いところすべてを凝縮したエキスのやうな」唯一の小説であると確認しているのだ。

　ここまで言い切れる作品を持った作家はおそらく稀であり、作家が自作を語る言葉として最高級の賛辞と言えよう。「憂国」は作者が自ら認める絶対の代表作に成長したわけ

だが、その一方で、「人生に期待する唯一の至福」が「紙の上にしか実現されえないのかもしれ」ない、というもどかしさを作者に味わわせてもいた。作者の内部に占める位置が大きくなるに連れて、行動へと誘う内圧も高まっていたのであろう。

　内圧の高まりを跡付ける作品や行動は、この間の三島年譜を参照すれば枚挙に暇がない。ここでは、その象徴的な一例として、『英霊の聲』（河出書房新社、昭和41年6月）に書き下ろしで収録された「二・二六事件と私」[12]を見ておく。

　ここで「憂国」は「二・二六事件外伝ともいうべき」「一篇の至福の物語」と捉え直される。「死処を選ぶことが、同時に、生の最上のよろこびを選ぶことになる、このような稀な一夜」を持ち得た武山中尉夫妻の「至福の物語」というわけだ。先に引いた「解説」における「憂国」観に接近してきているのが理解できよう。ここでは未だ作中人物が主語だが、言うまでもなく「死処を選ぶ」ためには行動が必要である。

　もう一つ、本文の「改訂」も見逃せない。「二・二六事件と私」の末尾で、「英霊の聲」の削除修正に続けて、

　　又「憂国」を次のように改訂し、以後これを定本とする。
　「近衛輜重兵大隊」を「近衛歩兵第一聯隊」と改め、…（中略）…中尉の帰宅の件りで、「軍刀と革帯を袖に抱いて」を、「軍刀を抱いて」と改め、中尉の遺書の、「皇軍万歳　陸軍中尉武山信二」を、「皇軍万歳　陸軍歩兵中尉武山信二」と改めた。

と記され、以下、そう措置した経緯や理由が述べられている。「当時の実状をよく知る加盟将校の一人」の「助言」によると言うが、大日本帝国陸軍について常識的な知識を持っていさえすれば、そもそも間違えるはずもない、自明の事柄ばかりと言えよう。「憂国」執筆当時の三島は、それほど「皇軍」から遠い所にいたのである。

「憂国」を書いていなければ「十日の菊」や「英霊の聲」は生まれなかったとは言えるが、「二・二六事件三部作」が「憂国」から始まったわけではない。そう称されるにふさわしい内実を「憂国」が備えたのは『英霊の聲』に収録された時点だからであり、言い換えれば、今日一般にイメージされている「「憂国」」となる条件は、ここで初めて整ったのだ。

「憂国」は、このように作者に影響を及ぼしつつ、次第に重みを増しながら、決定的な行動へと誘ってゆく。「森鷗外」[13]の初出は、「憂国」の映画化と「英霊の聲」の発表との間であり、注1で確認しておいたように、初版本『作家論』の刊行は自決の一月ほど前である。「森鷗外」は、こうしたタイミングで書かれ、あるいは読み直された。

「阿部一族」は、殉死を強いる封建道徳の批判をモチー

フとする作品と読むのが一般的だが、極言すれば、勝算のあろうはずもない状況下での「意地」による激発を描いた小説である。私見では、反社会的／異端として孤立させられた人々によるテロリズム（≒激発）を文学に結晶させた小説として読み直したとき、現代的な問題意識を孕んだテクストとして再生すると思う。だからこそ、三島の目にどう映っていたかを知る手掛かりを、「森鷗外」に期待したのである。[14]

その期待はかなわなかったけれども、二つの「解説」を読み比べることで、三島と大岡が同様のデーモンに魅入られた様相の一斑を窺うことができた。もう一点、『堺港攘夷始末』について追記して、三島の『雁』評に進もう。

単なる印象だが、三島に比べて大岡の方が「解説」のトーンが低いように感じられる。それは、三島もその中で育ったと言う「鷗外崇拝の空気」に、大岡の方がより深く染まっていたからではなかろうか。もちろん、他の理由も考えられるだろうが、大岡の方が一六歳年長でもあり、何より月報の小堀杏奴との対談を「作家としても人間としても超弩級の方だったんですね。」と結んでいるところに、それが端的に表れているように思われてならない。

三島は、鷗外を「知識階級の偶像」であり「無条件の崇拝の対象」「自明の神」であったとしつつ、「あらゆる鷗外伝説が衰亡した今」こそ「鷗外文学そのものの美が」「純粋に鮮明にかがやき出す」と、遠近法に立って鷗外を捉えている。鷗外と向き合う両者の立ち位置の違いは明らかであり、だからこそ大岡の「堺事件」批判が激しく執拗になったのであろう。大岡にとっての『堺港攘夷始末』とは、「自明の神」を殺すための「格闘」の成果物であり、言わば鷗外を卒業するための卒業論文であった。

『雁』と「鷗外の文体」

『雁』評の最初に三島は、

> 「雁」を読み返すたびにいつも思うことであるが、鷗外の文体ほど、日本のトリヴィアルな現実の断片から、世界思潮の大きな鳥瞰図まで、日本的な小道具から壮大な風景まで、自由自在に無差別にとり入れて、しかも少しもそこに文体の統一性を損ねないような文体というものを、鷗外以後のどの小説家が持ったかということである。

と、改めて「鷗外の文体」を高く評価する。その上で、

> それほど可能の文体を持った鷗外が、綜合的な大作を書く暇がなかったのは残念なことであるが、「雁」は多少とも、そういう彼の綜合的天才の作品という理想的形態に近づいているのである。

のように、その文体を生かした「綜合的な大作」に最も近い作品として『雁』を位置付けた。これが、三島が『雁』

を「名作」と称する所以であろう。

以上は言わば総評であるが、梗概から読解に進む際に、

「雁」における鷗外は、自然派に対する身を乗り出した嘲笑などを一切示さずに、自然主義の作品の欠陥を見事に補塡した、しかも自然主義の写実をはるかにこえる精妙的確な写実に基づいた、象徴的な作品を書いた。

との一文を挿んでいるのは見逃せない。特に「象徴的な作品」という評価に注目しておこう。直接には「結局、それぞれの軌道をたどって、自分一人の運命を成就する他はない」、人生の実相を描いて「象徴的な作品」という文脈で用いられた評言だが、三島の『雁』評は含蓄が豊かで、より多様に読み解けるからである。

例えば、岡田が「お玉のうちに生れた情熱を」「理解したら、身分も捨ててお玉を愛するか、というと、そういうことはなさそうである。」という指摘。さり気なく提出されているが、この指摘は重要である。おそらく当時の大部分の読者は、最終章の「僕」の語りを信じて、お玉の恋は「青魚の未醬煮」の偶然のために成就しなかった、と読んでいた。しかし、三島が指摘したように、お玉の期待通りの展開だったとしても彼女の想いは遂げられなかった、とする立場から「恋物語」としての「雁と云ふ物語」と小説『雁』との位相差を考察するようになって、『雁』研究は読解の精密さを増し、活性化する。それは『雁』の研究史からも確認されよう。[15] 提出された時期も早く、ポイントを押さえた内容においても、先見の明があったのである。

では、単なる「恋物語」には終わらない『雁』を、三島はどのように評価していたのか。それを見てゆく上で、題名の由来と考えられる「雁の死」が「飛び翔とうとして挫折した時代の理想の象徴」である可能性に言及しているのが重要になろう。ここには、「自分一人の運命」のように個人に閉じはしない、より大きな問題意識への回路が開かれているからである。そして、このように『雁』を読み解く一方で、三島は鷗外を「日本の近代の失敗を感じつづけた」存在と見てもいた。あり得べき近代のイメージが「時代の理想」という言葉に投影されていると考えれば、先に注意を喚起しておいた「象徴的な作品」という評価の意味は明らかであろう。三島は「恋物語」の向こう側に近代の病弊を見、「日本の近代の失敗」を象徴的に描いた作品として『雁』を評価していたのである。

それは、「数年後の岡田は、みごとな俗物に変ってしまうかもしれない」と予想させる「青年の出世主義」や、「囲い者の身分である」お玉の「功利主義」として現れていよう。そして、お玉を囲っているのは功利主義の権化、利潤追求の象徴的な存在と言ってよい高利貸、末造である。ここまで踏み込めば、『雁』が示唆する「日本の近代の失

敗」が、「英霊の聲」の合唱が「外国の金銭は人らを走らせ」「ただ金よ金よと思いめぐらせば／人の値打は金よりも卑しくなりゆき」と怨嗟を込めて批判する、金銭（利潤追求）万能の悪しき資本主義と通底していることが理解されよう。近代化の初発段階で資本主義経済システムの移入により慎重であれば――三島自身の問題意識と結び付きつつ、「森鷗外」における『雁』評の射程はそこまで届くのである。

「森鷗外」が鷗外研究の場で参考文献として直接引用・言及されている例は少ないので、ここでは主に既発表の拙論[16]に基づいて、冒頭で卓抜と評した理由の一斑を示した。『雁』の研究史に徴せば、ここで指摘した以外にも、後の研究につながる発想の萌芽をさらに見出せるはずである。

専ら作品の読解に関わる問題を見てきたが、先に見た通り、三島の『雁』評は、鷗外の文体を高く評価するところから始まっていた。「森鷗外」の『雁』評以外の叙述でも、また、鷗外をテーマとする他のエッセイでも、三島の鷗外に対する関心の中心には常に文体があった。以下、鷗外の文体と三島との関わりを検討して結びとしたい。

三島は『私の遍歴時代』「13」で、『仮面の告白』を書いた後、「古典主義」を志向し、自身の「感覚的才能」との訣別を決心して、「もっともっと鷗外を読もう。鷗外のあの規矩の正しい文体で、冷たい理知で、抑えて抑えて抑えぬいた情熱で、自分をきたえてみよう[17]」と考えたと記している。鷗外の文体は、学ぶべき対象として意識されていたと言えよう。

『私の遍歴時代』は後年の回想であるが、「自己改造の試み―重い文体と鷗外への傾倒」（『文學界』昭和31年8月）の次の一節などを見ると、これは事実と考えてよさそうだ。

> 私の感受性への憎悪愛が極端になつたのは「仮面の告白」であつて、その混乱した文体は、さういふ精神状況を語つてゐる。鷗外の清澄な知的文体は、私への救ひとして現はれた。鷗外には感受性の一トかけらもなく、あるひはそれが完全に抑圧されてゐた。そこで私は鷗外の文体模写によつて自分を改造しようと試みた[18]。

ここでは「清澄な知的文体」と書いているが、同時期に発表された「鷗外の短篇小説」の「知的な乾燥度の高い文体[19]」、「森鷗外」の「ディオニソス的な酩酊から遠い文体」、全て同様の評価であろう。対象を「つき離して」観察し、「決して歌わ」ず「無礼な分析」も加えないが、「物を貫ぬくレントゲン的な描写力」を示す――より具体的に「森鷗外」中の言葉で言い換えると、三島は鷗外の文体をこのように捉え、学んだと思われる。これらの特質は、先に科学的な観察に基づく「臨床的記述」と整理した、「憂国」の文体の性格と重なっていよう。「憂国」には、鷗外の文体を学んだ成果が窺えるわけだ。

「鷗外の短篇小説」には「格に入つて格を出た」「模して及ばぬ」その総評として「淡々とした抒述で」ありながら「読み了つてしばらくすると、悽愴な主題が瞭然と迫つて来る」との指摘がある。短篇ではないが、見てきたように『雁』も、真に問題とすべき主題は第一印象である「恋物語」の向こうに見えてきた。文体を学んだ成果として「憂国」も同じ性格を持っていたとしたら、脱稿後やや時間をおいて読者として接した時、行間に潜んでいた識閾下の「悽愴な主題」が浮上して、迫ってきたのではあるまいか。

その時こそ、作品が作者を駆って自らを肥大させてゆくデモーニッシュな運動に三島が巻き込まれた瞬間、三島の「格闘」が始まった瞬間と言えよう。五十年前の三島の自決は、実は鷗外との関わりの中に胚胎していたのかも知れない。

（中京大学教授）

注1　これは、初版本『作家論』（中央公論社、昭和45年10月20日印刷／30日発行）においても同じである。初版本の刊行から三島の自決まで一月足らずという短さを確認しておくため、敢えて刊行日まで引用した。

2　三島は「森鷗外」で「戦後二十年たって」「あらゆる鷗外伝説が衰亡し」「知識の神としての畏怖が衰えた」と記しているが、編集委員が解説を担当する二冊立てに加え、それぞれの月報に解説者と遺族との対談（『㈠』では「父・森林太郎」の題で森茉莉と、『㈡』では「文豪鷗外の肖像」の題で小堀杏奴と）が掲載されるなど、やはり鷗外は特別扱いされているという印象を受ける（小堀四郎が『㈠』の口絵と挿絵を担当していることも加えてよいかも知れない）。

3　「栗山大膳」（『太陽』大正3年9月）も「山椒大夫」（『中央公論』大正4年1月）も収録されており、「解説」では「歴史其儘と歴史離れ」が引用されるのだから、『㈡』に収録するのが読者の便宜から見ても自然であろう。

4　「一九六三年から六四年にかけて「文學界」に連載した「現代小説作法」」「連載十三回のうち八回」を占めた歴史小説論を指す。大岡によれば、これは「一九六一年井上靖氏との論争（所謂「『蒼き狼』論争」・酒井注）をしたことから」「歴史と歴史小説への関心」を抱いた結果だと言う（引用は『歴史小説の問題』〔文藝春秋、一九七四年八月〕の「あとがき」に拠る）。

5　柴口順一は、『大岡昇平と歴史』（翰林書房　二〇〇二年五月）の「第二章　一連の歴史小説論」で、これら『文學界』に連載された歴史小説論について、その段階までの「歴史小説の問題を史的かつ理論的に整理し論じ」て「最もすぐれた水準に達していた」と評価している。

6　初出は「森鷗外における切盛と捏造—『堺事件』をめぐって—」（『世界』昭和50年6月）及び「『堺事件』の構造—森鷗外における切盛と捏造（続）—」（同7月）。論争の経過を概観するには、少々癖のある筆致だが、

小谷野敦「「堺事件」論争　一九七五―二〇〇二」（『現代文学論争』筑摩選書、二〇一〇年一〇月）が便利である。

7　大岡が「史料では不明な部分について、鷗外がどういうふうに推理し、書いたか」「当今歴史小説家に参考になりそうなので、収録した」と説明する「大塩平八郎　附録」こそ、「史実に推測を加へ」「推測を逞くしたには相違ないが、余り暴力的な切盛や、人を馬鹿にした捏造はしなかつた」という「堺事件」論難のポイントとなった一節の出典である。「解説」を執筆した段階の大岡が、ここに記された鷗外の創作態度や方法を信頼し、依拠すべき標準（スタンダード）と考えていた証左と言えよう。

8　『中央公論文芸特集』昭和59年秋季号～昭和63年冬季号（昭和61年冬季号は休載）。後、久留島浩と宮崎勝美が著者生前の手入れ稿等を整理し、注を付して一九八九年一二月に中央公論社より単行出版（本文末尾に「未完」とある）。

9　井田進也「鷗外と大岡昇平―「堺事件」との格闘」（『國文學〔森鷗外を読むための研究事典〕』平成10年1月）が『(二)』の「解説」中の「堺事件」に対する評価の揺れを指摘し、先の引用箇所について「やや不満を述べているのが注目される」と注意を喚起している。ただし、以降の「格闘」との関わりを本稿ほど重視していない。

10　引用は初版本に拠り、旧漢字を現行の字体に改め、仮名遣いは原文通りとした。

11　以下、引用は『決定版　三島由紀夫全集』35（新潮社、二〇〇三年一〇月）に拠る。

12　藤田三男が「〈解説〉「英霊の聲」の声」（『オリジナル版　英霊の聲』河出文庫、二〇〇五年一〇月）で「二・二六事件と私」を「三島由紀夫の痛々しいまでに純粋な思考を辿る上でのターニング・ポイントとなる重要なもの」と評価している。なお、引用は初版本に拠った。

13　『決定版　三島由紀夫全集』42（新潮社、二〇〇五年八月）所収の「年譜」には、

昭和40年（一九六五年）11月8日（月）「日本の文学2　森鷗外(一)」（昭和41年1月、中央公論社刊）月報掲載の「父・森林太郎」のため、森茉莉と赤坂のフランス料理店シドで対談。

との記載はあるが、翌年一月五日の『日本の文学2　森鷗外(一)』の刊行は記載されていない。

14　史料との比較検討というオーソドックスとされる方法を離れて、テクストとして解読の可能性を探るとき、阿部弥一右衛門を追い詰める周囲の眼差し＝「情報」の問題や、林外記に代表される為政者の力量の問題など、「阿部一族」を現代に開く魅力的なテーマが他に幾つも見えてこよう。「三島の目にどう映っていたか」との仮定は、新たな着眼点を探る発想の一つでもある。なお、『(一)』には「侍の家に生れたのだから、切腹といふことが出来なくてはならない」と両親に「度々論」

されたと記す「妄想」(『三田文学』明治44年3、4月)も収録されているが、特段の言及はない。

15　拙稿「『雁』(研究史)」(竹盛天雄編『別冊國文學37　森鷗外必携』平成元年10月)、秦行正「『雁』」(『國文學』前注9同号)等参照。

16　拙著『森鷗外とその文学への道標』(新典社　平成15年3月)所収「『雁』論(1)―末造と岡田の造形をめぐって―」「『雁』論(2)―「雁と云ふ物語」と作品『雁』―」、及び『鷗外近代小説集』第六巻(岩波書店、二〇一二年一〇月)所収「解題　雁」参照。

17　引用は『私の遍歴時代』(講談社、昭和39年4月)に拠る。

18　引用は『決定版　三島由紀夫全集』29(新潮社、二〇〇三年四月)に拠る。

19　引用は前注18同書に拠る。以下も同様。

ミシマ万華鏡

山中剛史

三島没後五十年ということで、NHKとTBSで三島の番組が放送された。これまでも三島特番は放送されてきたし、ゆかりの人間の証言といっても今までと同じ面子を繰り返すというわけにもいかず、五十年記念の演劇上演に寄せた形で、あるいは自社の記録映像をチラ見せする形といったものとなっていた。記録映像というのはNHKは楯の会パレードでありTBSは三島出演番組である。とりわけ後者は興味深く、NHKアーカイブスのように単独で放送して欲しいものだ。

　また活字化というわけではないが、番組で新書簡が二通公表されたことも記しておきたい。ニュース23(11・25放送)での村上一郎宛書簡(昭45・11・19付)と、ETV特集・転生する三島由紀夫(11・28放送)での平山芳信宛書簡(昭44・11・7付)である。前者は犬塚潔氏、後者は楯の会一期生の平山氏本人所有のもの。

　平山氏のものは、楯の会を退会した平山氏への三島の返信で、番組中一部分が読み上げられた。村上一郎宛書簡は、便箋二枚と封筒の映像が流れたが、プラトンの『パイドン』と『久坂玄瑞遺文集』を最近読書したと記され、感銘したという玄随の和歌が二首引用されているものであった。

　こういうものは活字化またはハッキリ読める状態での写真版というわけでもなく、そもそも文献ではないのだが、今まで公表されていなかった書簡として貴重なものといってよいだろう。

特集　三島由紀夫・『作家論』

鏡花を読む三島由紀夫

種田和加子

一

「さるにても鏡花は天才だつた。時代を超越し、個我を神化し、日本語としてもつとも危きに遊ぶ文体を創始して、貧血した日本近代文学の砂漠の只中に、咲きつづける牡丹園をひらいたのである」――「日本の文学」4「尾崎紅葉・泉鏡花」に添えられたこの解説[1]の何度となく引用されてきた箇所は、鏡花再評価へのたからかな宣言であるとうけとめられてきたし、事実、「現代詩手帖」泉鏡花特集（一九七二年）、脇明子「幻想の論理」（一九七四年）、笠原信夫「泉鏡花　美とエロスの構造」（一九七六年）など、「七〇年代鏡花ブーム」がおこることになり、批評家、研究者が乗り入れて、それまで特定の作品に集中しがちだった鏡花論からさらに広い地平が開かれていった[2]。しかし、この巻が、三島自決の前年、昭和四十四年一月刊行であることを思うとき、鏡花へのオマージュというよりも、どこか弔辞めいていないだろうか。鏡花へというより、「日本近代文学」への、という意味である。なぜかといえば、三島はすでに谷崎潤一郎が亡くなったその翌日の昭和四十年七月三十一日「朝日新聞」夕刊に追悼文を寄せていた。「……氏の生涯は芸術家として模範的なものだといふ考へは私の頭を去らない。日本の近代の芸術家中の一流中の一流の天才である氏は、日本の近代といふ歴史的状況のあらゆる矛盾を「痴態」と見てゐたにちがひない。そしてそれによつて犠牲にされたあらゆるものを、氏はあの豊じゆんな、あでやかな言葉によつて充分に補つた。かつて我々が「日本語」と呼んでゐた、あの無類に美しい、無類に微妙な言語によつて[3]」――谷崎にささげられた言葉は、鏡花へのそれとことさらな隔たりはない。「模範的なものだ」を「孤立した存在」にし、「近代といふ歴史的状況……」を「「痴態」と見て」、を「意に介せずに」としたら、そのまま、鏡花にもあてはまらないだろうか？「近代」の私小説的伝統に与せず、つまり、言葉が作り出す「現実」（断じて逆ではない）をいかに創造するか、独自の文体によって日本語の可能性をいかに引き出すか、それを行った作家のみを「天才」（いかにこの言葉を三島は好んだか！）であると三島は認めるのだ。どうも鏡花より若い谷崎以後、三島のいう「日本語」の「天才」は絶えたように聞こえる。谷崎さえいなくなったあと、三島のあとに誰がいるだろうか。しかも、この解説の掲載時の昭和四十四年でいえば、最終作「豊饒の海」第一巻「春の雪」を一月五日に新潮社より出版、「奔馬」の連載はすでに終わり、翌月二月二十五日に同作品も新潮社より刊行されることが決まっており、「暁の寺」も連載中、一方で、「武人」としても人生の終幕を意識している時期なのだ。鏡花へのいっけん賛辞にいろどられた肯定は、三島の「日本語」／「日本文学」への危機感の裏返しではないだろうか。

　三島由紀夫が編集委員をつとめた「日本の文学」（中央公論社、全八〇巻、昭和三九～四五）は戦後澎湃とおこった、文学全集のなかの一つである。山中剛史は「三島由紀夫と編集者」ノート論（「三島由紀夫研究11」）[4]で、この全集は、「「週刊公論」の赤字撤退と嶋中事件で窮地に追い込まれた中央公論社を持ち直させた」といっている。これに松本清張を収録することに三島が強く反対したエピソードは有名である。収録された作家について、三島が解説を書いた十二人の作家のなかで、森鷗外を筆頭に、尾崎紅葉・泉鏡花がくる。鷗外は文久二年、紅葉は慶應三年、鏡花が明治六年生まれで、近代文学の黎明期に立ち会った作家は、この三人のみになる。

　三島が鏡花作品として選んだのは、「黒百合」（「読売新聞」明治三十二年六月～八月）、「高野聖」（明治三十三年二月「新小説」）、戯曲として「天守物語」（大正六年九月「新小説」）、そして、絶筆「縷紅新草」（「中央公論」昭和十四年七月）。紅葉は代表作「金色夜叉」で、紅葉、鏡花という組み合わせの文学全集収録は、実は、これがはじめてである。この巻の月報には三島と澁澤龍彦の対談（昭和四十三年十一月四日）「泉鏡花の魅力」がつけられ、二人の鏡花談義は大いに盛り上がる。

　三島の解説、対談、その他は、これまでほとんど鏡花の側から引用されてきたが、三島がいつごろから鏡花を意識していたのかといえば、少年時にさかのぼる。

　三島が祖母の影響もあって、少年期から、鏡花を読み、「鏡花ばりの「紫陽花」といふ小品を書いたことがある」（原稿は昭和十五年一月三日と記される）[5]というところにまず注目しておこう。少年三島が、「詩」作から「小説」へ移り行こうとする時期である。これについては、「私の永遠の女性」（「婦人公論」昭和三十一年八月）[6]のなかで三島本人が「鏡花から借りた眼鏡で、幼児の記憶を覗き込んだ」、といっている。

田中美代子は、この「紫陽花」から、吉屋信子の「廿一年前」（「女とひとり」（「中央公論」、昭和十年十二月号所収）における「紫陽花と美女と母」が、三島の作文とどこか通い合う、と指摘したうえで、三島と吉屋は同時代作家として、たがいにそれとはいわずとも意識しあっていたらしい、と推測する。(7) 田中の批評は、純文学対通俗文学、という退屈な図式に三島と吉屋を押し込めないことを企図した注目すべきものである。

そのうえで、だが、吉屋も三島も鏡花ファンであってみれば、「鏡花から借りた眼鏡」がいかに三島の「紫陽花」を映し出しているのかも、みておいて無駄ではないと思うのだ。

「紫陽花」は、琴の女師匠の家と接している主人公の家の回想にはじまり、祖母、母、女中に大事にされている虚弱な「お坊ちやま」の「わたし」が、少女たちと遊びにふける挿話、祭りのみこしを担ぐ若衆の「恍惚」、のちの三島作品を思わせるそれらの要素もまじって、幼い日のくらしの雰囲気が、「のたり〳〵」といった擬態語、「ざわ〳〵」などの擬音語、ふんだんに「……」「——」などの記号をちりばめたたしかに鏡花風の文体で書かれている。木々や植物が繁茂するままになっている庭や蜻蛉などと少年時の郷愁がかさなるのもそれらしい。

題名との照応でいうと、結いたての「丸髷」の母が「階段」を降りてくるその足袋の白さ、項《うなじ》の白さに注意を向け、丸髷にふさわしい母の顔は、紫陽花と映りあう青ざめた面長の顔、と、「わが永遠女性」のおもかげは語られる。三島はややのちに、昭和十八年六月二十三日の東文彦宛書簡で、谷崎の「吉野葛」をひき、「母性への憧憬といふものはフロイドならずとも、古今の文学にひとしほ甘美な詩にいろどられて隠見してゐるやうにおもはれます。」といっていたが、「紫陽花」には、鏡花の「一之巻〜誓之巻」、「照葉狂言」「清心庵」「絵本の春」など、子供から少年にかけての時期の、母や、姉のような年上の女へのあこがれが溶け込んでいるように思う。遊びの世界の豊かさはとくに「照葉狂言」をほうふつとさせ「母」の姿は、一般に人称性を表す顔かたちが微細に描かれているのではなく、「丸髷」「足袋の白さ」といった換喩的表現が前に出て、むしろ、紫陽花などの植物がなにか主体的にふるまっているかのような書きぶりは、十五歳の少年の作として、鏡花の眼鏡をうまく使っている。また同名の鏡花の初期作品「紫陽花」(8) に注目すれば、ここに登場する貧しい氷売りの美少年が「貴女」に氷を飲ませる最後に「桐の葉越の日影薄く、紫陽花の色、淋しき其笑顔にうつりぬ」とあり、貴女の顔色が紫陽花の花と重なり合う淋しさが三島の「わが永遠女性のおもかげ」に移しかえられているともとれなくはない。後年、三島は「紫陽花の母」（昭和四十二年十月）[9]のなかで少年時代の作文にふれて「庭の紫陽花の蔭から日本髪の綺麗な女が現はれて、初めは誰とも分らなかつたが、それが母であつたといふ話である」と述べている。十五歳の時の作文は、このように語りなおされ、そのほうが、なにやら鏡花の描く紫陽花の精といえそうな謎の貴女の存在の「おもかげ」が、三島の意図と重なってくる。

軍需工場で書かれたという「岬にての物語」（昭和二十年）の物語構造に、鏡花の「龍潭譚」（明治二十九年）の影響をみたのは、佐藤秀明氏であった。[10]ここでは、「清水文雄宛葉書、昭和二十年五月十九日」が引かれており、三島は「和泉式部日記、上田秋成全集、古事記、日本歌謡集成、室町時代小説集」などとともに「鏡花を五、六冊、並べて、これから企てる物語の世界など、空想してすごす夜の数時間をもてることを幸せに思ひます。」と書き、佐藤氏は「岬にての物語」が「これから企てる物語」に合致するとみている。三島は対談などでもなにかと鏡花を引き合いに出すが、「文章読本」（昭和三十四年六月）[11]では、鷗外の漢文に支えられた簡潔、明晰な文体（「寒山拾得」）と鏡花の「日本橋」を対照させ、いっけん鏡花の文体が悪文にも似ているが、しかし、読者を理性の酩酊にさそいこみ、日本の国文学の伝統をふまえ、長編小説に適した文体だとみる。これは「鏡子の家」執筆と併行し、余裕で書いたものと思えるが、鏡花には少年期ほどの思い入れはない。「仮面の告白」を契機とし（鷗外）の「冷たい理智」（「私の遍歴時代」）へと自らを鍛えようとしているためか。「鏡花は自分が美しいと思ふもの以外には見向きもしません」と断言する。（四十九頁）「鏡花の物語は思想的な主題もなく、知的な個性もありませんが、厳然とした物語の世界を長々と展開することができました」（五十一頁）――それは、鷗外がアポロン的文体なら、鏡花は、ディオニュソス的文体で、長編にむき、物語にむく、となると、三島最後の長編「豊饒の海」は、鏡花的文体に「思想」を加味して書かれたのだったか?むしろ、鏡花は「岬にての物語」以降まったく沈潜したのか、という問いを禁じ得ない。しかし、それは、少しおくとして、まだ何になれるともわからない少年期から読み続け、作家になっても関心を持ち続けた三島の鏡花観が、全集「日本の文学」の解説にどう反映し、どのような作家像を結んでいるか、さぐってみなければならない。

二

収録された作品のなかで、長編として三島自身も珍しいといっているのは「黒百合」である。

たしかに、個人全集以外で、「黒百合」がとられたことはない。また、「黒百合」は、「高野聖」のごとく、評価の定まった名作、ともいわれてこなかった。同時代評でも「近来快心の文字……殊に黒百合採取の一段の如き、鏡花独壇の技」（「よしあし草」梅皐、明治三十二年九月二十日）とあるのが、もっともよい評で、「現れ来る人物が皆盗賊に因縁ありて、大詰には冒険船を大洋に泛べるなど言ふ趣向は、百年も前の絵草紙か、今の探偵小説かの材料」（「よしあし草」無絃、明治三十二年十月二十五日）と言われ、単行本になっての書評では、構想に無理があるなどと手厳しくいわれている（「帝国文学」芝峯、明治三十五年五月）。ただし、「鏡花宗徒」のひとり、岡田八千代は「読売新聞に「黒百合」が出ると、夢中になつて、誰の前でも、「からはぎはからはぎ」などとやつたものだつた」[12]（「新小説臨時増刊号　天才泉鏡花」大正十四年五月」）といっており、筆者が「黒百合」作中、銀流しの白魚のお兼の口上をまねたエピソードがあるので、鏡花ファンの読者はこの話を楽しんだのだろう。春陽堂版「鏡花全集」の前宣伝を兼ねたこの特集には、斎藤信策が「泉鏡花とロマンチク」を書き、ドイツロマン派の特色の一つである月夜、夕暮れ、霞がかった景色などと鏡花とに類似点を見出し、ノヴァーリスの「青い花」もロマンチケルの典型としてあげている[13]。すでに同時代でも構想の矛盾を指摘されてきた本作品の、本格的な研究が出てきたのも、比較的最近である。示唆に富む篠田一士の「鏡花を読む―「黒百合」をテクストに―」（一九八一年「図書」382号[14]）が岩波書店「鏡花小説・戯曲選」の刊行と合わせて論じられたもので、それ以降作品論は少しづつ積み重ねられている。

　三島は、「若き泉鏡花が、もしこのやうな全集に、死後、もつとも尊敬する紅葉と共に、一冊に収められるところを想像したら、おそらくその想像の狂ほしいほどの歓喜のために、喜死したにちがひない。これは、もつとも愛し敬ふ人と共に一つの墓に埋められる光栄と似てゐるからだ。」といっている。「金色夜叉」と「黒百合」が長編として選ばれたのはいいのだが、「黒百合」の掲載誌と、「金色夜叉」のそれは、どちらも「読売新聞」である。確認しておくと、周知のように紅葉は、断続的に「金色夜叉」を連載した。「続　金色夜叉」（壱～七）明治三十一年一月十四日～四月一日、「続々　金色夜叉」（壱～六）、明治三十二年一月一日～五月二十八日、ここから、一年五か月ほど経て、「続々　金色夜叉」（七～十三）明治三十三年十二月四日～三十四年四月八日まで掲載される。「黒百合」は、「続々金色夜叉」の途絶後、明治三十二年六月二十八日から八月二十八日まで、六十回の連載となり、ちょうど、紅葉の中断の間を埋める形になる。この点はこれまで指摘されてこなかったが、三島を介して、選ばれた紅葉、鏡花の長編の初出は、鏡花が「歓喜のために喜死」するほどの扱いとなっただろうか。むしろ、絶大な「金色夜叉」人気のなかで、読者は、その断絶に落胆し、続きを待ち焦がれるあいだのつなぎとして「黒百合」が掲載されたとみるべきではないだろうか[15]。もちろん、鏡花は「金色夜叉」への賛辞「金色夜叉小解」（昭和二年六月）を書いたのみで、この点には両者ともに言及していない。もちろん、これに三島はあずかり知らぬことである。なお、「もつとも愛し敬ふ人と……」のくだりは、硯友社というホモソーシャル集団のなかで、とりわけ鏡花が紅葉に愛され、そのゆえに神楽坂の芸者との間を許されなかったいきさつから紅葉―鏡花のホモソーシャル以上のホモエロティシズムを三島がみているようにもうけとれる。師への「眉唾物」と三島が評する鏡花の師への「アフェクション」はそういう屈折の結果であってもおかしくないのだ。

　では、なぜに、三島は「黒百合」を押すのか？　三島のいう「年上の女と美少年の恋」はたしかに鏡花の得意とするものだが、「黒百合」の滝太郎は、一風変わった重瞳の持ち主で、そこからしても、並みの美少年ではない。孤児になったところを、富山にある子爵千破矢家の当主として迎え入れられ、暮らしに不自由はまったくないが、「病的の賊心」（三十四）はおさまらず、表舞台を避けて生きてきた白魚のお兼でさえ、滝太郎によって暗い洞窟に並べられた無意味な窃盗品をみて慄然とする。美少年は心に屈託をかかえた「重瞳異相の悪少」（四十一）でもあるのだ。お兼に諭されて、知事の令嬢勇美子の欲しいといった、「黒百合」採取のために石滝にはいるが、目的の一つは、花売りのお雪が盲目の理学士拓のために高価な謝礼を得ようと、一人石滝にはいったのを助けるためでもあった。「黒百合」採集は令嬢勇美子の気まぐれの依頼に、少年と美女がつきあわされたものであり、盲目の拓の夢に二人の命がけの冒険が出てくるのが、たしかにクライマックスである。「華族にして盗賊なる美少年滝太郎と、純情可憐な美女お雪が、黒百合をやうやく手に入れながら、群がる蝶と大鷲に襲はれ、共に死ぬことを誓ふ滝太郎の涼しい目が、この世の人間の高貴な極地の姿を示す一篇のクライマックスは、実は理学士の夢中の幻想にすぎないが、全編の結構はここに集中し、作者の思想はここに結晶してゐる」と書いた三島は、この場面が「「芸術作品」がこの世に実現しようとした「現実」の相に他ならない」と「黒百合」を評する。それは正しいが、見方を変えれば、美少年滝太郎が鷲に襲われ、手に傷を負い、さらに鷲の嘴が少年の背中に触れるさまなどの劇的な「責め場」において、ここまで血を流す美少年を焼き付けられると、誰でも、サン・セバスチャンの類型を想起するのではないだろうか。三島はわざわざそのようなことを言わない。だからといってそこにひかれていないとはいえないだろう。なお、「黒百合」は美少年滝太郎の、自分でもかかえきれない虚無感によるところが大きいのであり、それが、理学士拓とも通じあっている。拓は非職海軍大佐某を父にもち、世間を避けて生きる身の上で、最終的には、白魚のお兼らと「黒百合号」に乗って、日本を出ていく。拓の父は、国家に背いた科で、投獄されていたらしい。種村季弘は、「元海軍の反乱軍将校」に見立ててこういっている。（そういった将校が）「富山から飛騨にいたる山中あたりなら……機を窺ってひそんでいたり、やがて反乱に失敗して海外に海賊船で脱出亡命したりしてもさほどふしぎはないといった雰囲気が、すくなくとも日露戦争以前の日本には遍満していたのではあるまいか」（「泉鏡花集成」2、解説。筑摩書房、一九九六年）——種村のいっていることまで三島がくみとっていたかどうかはわからないが、登場人物たちがかなりダークな色彩のなかにいることはたしかである。よくいわれる「母恋い」とは無縁な作品であるし、浪漫的ではあってもノヴァーリスの「青い花」のごときビルドゥングスロマンではない。むしろこの伝奇的な結構が、解説と同年（死の前年）五月から九月にわたって三島が書き、十一月に上演された「椿説弓張月」の悲劇的な作品とも共鳴しあうように思われる。

　三島が選ぶ鏡花作品は、斎藤信策がドイツロマン派と比較したような、山岳や森林が舞台装置であることが共通する。「高野聖」も同様である。戦前では、吉田精一の、「「高野聖」研究（「国語と国文学」昭和十年十月）、戦後では同著者「自然主義の研究」[16]（昭和三十年十一月、東京堂出版）などが、研究者による「高野聖」論を含むもので、吉田は明確に浪漫主義、と鏡花を位置づけた。短編として「高野聖」が選ばれるのは明治四十年代から定評のある作品という意味で三島の読者に対するサービスもあるだろう。これについての解説をさらにふくらませた澁澤龍彦との対談（昭和四十三年、十一月四日、赤坂[17]）もあわせて読んでみると、三島の指摘の一つは、「高野聖」の成功には、「能」の語り（僧をワキと考える）の枠組みにある、ということ。もう一つは、孤家の女の聖母的でかつ魔的な造型と、彼女が支配する山中から帰還できる僧に、鏡花の「詩人的確信」を見る点である。後者は「僧」に作家を重ねている。「解説」に書かれず、「対談」にあるのは、「メタモルフォース」の側面である。

　澁澤との対談で、鏡花の幻想譚は「変身」にむかうというトピックのなかで、三島自身は、いささか唐突に「僕は絶対に形じゃないと嫌なんだ」と断言し、自身は「変身する文学」は拒否している。「高野聖」の変身には三つのレベルがある。蛭の木林の描写がもつ、原初的な生き者の蛭は形態上、もっとも人間から遠いがそれらに吸い付かれると「人」としての形を失い、融けてしまう、という固体喪失のレベルから、「これから蛙になろうとするような少年」「二本足に草鞋を穿いた獣」の半人半獣的なレベル、男がいわゆる動物としての馬や、猿に変えられるレベルまである。

　この変身の三層において、鏡花は、人間がとくに自然界で一番高い地位にあるのではないことを明確にし、むしろ、「蛭」（同時に蛇の）威力を人間に対峙するものとして描いているのだが、人間が人間のフォルムを失うのは三島には恐ろしいにちがいない。ただし、三島が人間の血や内臓を人目にさらすことにタブーの意識はなかったことからすれば、臓物などのもつ生命感は「アンフォルメル」の最たるもののように思えるのだが。たとえば、「金閣寺」、「愛の処刑」、「憂国」などの「内臓」描写。

　「戯曲」として選ばれたのは「天守物語」。三島の「天守物語」観は実際の観劇体験にも裏付けられる。「戦後新派によつて、花柳章太郎の天守夫人、水谷八重子の亀姫の配役、千田是也の演出、ドビュッシーの「雲」を伴奏音楽に使つた上演が、おそらく初演であらう。その後歌舞伎でも上演されたが、私にはこの初演のすばらしさがいつまでも目に耳に残ってゐる。」と述べている。若干の注釈を加えると、戦後初の新派の上演が、昭和二十六年十月、三島の記述通りである[18]。また、後者の歌舞伎座公演については、「禁色」連載の途中から担当した編集者松本道子[19]が、語っているが、昭和三十年二月の歌舞伎座上演を、松本も三島に誘われて観に行ったとのことである。三島が心酔していた六世歌右衛門の富姫ではあるが、三島は、「鏡花のセリフは、歌舞伎の抽斗のセリフ廻しや様式的演技で処理されると、その真の詩を逸することになるのである。」と述べ、新派初演のほうを支持する。

　鏡花の戯曲は、ほとんどが大正に限って書かれている。小山内薫らの新劇運動に触発されたこともあるだろうが、当時はイプセンの「人形の家」などがさかんに上演されたが、現在ではまったくすたれたのにたいし、鏡花の、とくに「天守物語」「夜叉ヶ池」「海神別荘」の人気は高い。新派悲劇を好まない三島が「天守物語」の構成と詩的言語を押すのはもっともだ。姫路の天守にすまう、亡霊たち、なかでも富姫の威厳と図書之助を引っ張っていく強さは、口語体に七五調を交えたセリフに支えられている。「それは姫路の、富だもの」「千歳百歳に唯一度、たつた一度の恋だのに」などは、歌舞伎にも、ふさわしい。「天守物語」には、大名の生首をめでる富姫、舌長姥の「汚穢《むさ》や」といいつつ、生首から滴る血をなめる場面もあり、あきらかに「サロメ」の系譜がよびこまれている[20]。ただし、三島はそういったブラッディー・シーンにはまったくふれない。しかし、知られるように三島と「サロメ」は縁が深い。すでにそれは、昭和三十五年四月五日に日夏耿之介翻訳で三島が装置と演出を手掛けて上演され、没後昭和四十六年、二月十五日に劇団浪漫劇場によって上演されており、死後を見通しての演出といわれている。そうであっても、偏愛する「天守物語」から斬首の光景は見なかったのか。それとも、見たのか？

さて昭和期の鏡花作品から鏡花の絶筆「縷紅新草」が選ばれた。十四歳の中学生だった三島は、祖母の影響で、鏡花に親しみ、新作を渋谷で買った、という思い出につづき、「縷紅新草」は、昼間の空にうかんだ燈籠のやうに、清澄で、艶やかで、細緻で、いささかも土の汚れをつけず、しかもまだ灯されない、何かそれ自体無意味にちかいやうな果敢なさの詩である。」と述べる。つづいて「これも亦、能に似た気分を持つた作品」という指摘は正しく、鏡花の作品が長編、短編とりまぜいっけん多彩な物語世界を表しているかにみえて、実のところ、鎮魂すなわち死者への畏敬という宗教的意識を強くもっていることは念をおしておきたい。そしてそれこそが、近代文学が軽視してきたものである。「近代能楽集」を書いた三島ならば、「果敢なさ」が何に根ざしているかわかっているはずである。作品内の蜻蛉の幽霊と、非業の死をとげた初路のあいだには、ホンモノとかニセモノといった区別が介入する余地はない。蜻蛉は初路のイコンであり、生まれ変わりなのだ。ここで、どうしても「縷紅新草」から「豊饒の海」の「天人五衰」を想起するのは、清顕の生まれ変わりの真偽に本田がこだわってきたその根拠も、最後には溶解するように見えるからだが、作者はそう認めているわけではない。三島が澁澤との対談で文学者は、（鏡花の）あの境地へいきたい、といっている。三島のいう「講談や人情話などの民衆の話法」を採用し、人間のまた時代の影の部分にひたすら目をこらした鏡花と、近代批判をヒロイックに思想小説で行った三島とは、比較したい誘惑にさらされつつ、無理だとは思う。ただし、両者は「日本語を知っている人間」（昭和四十五年十二月十二日「図書新聞」[21]）というその一点だけでは深く結びついていたのだ。

おわりに

戦後、鏡花の文体や手法について批評家として「純粋感覚」という概念によって論じた伊藤整の先駆的著作「日本の方法」（昭和二十三年、「小説の方法」同年に収録）を忘れることはできない。「……もとから，怪奇趣味、シナ的な幻想、歌舞伎的な純粋化された感覚を多分に持っていた鏡花は、その古風な義理人情の倫理観を、それ等の幻想的なイメージとつながる省略の多い飛躍的なスタイルで包んで、現実を感覚によって抽象するような特殊な散文を作った。……」この指摘は正鵠を射ており、鷗外の理論と構成、鏡花の文体という対比もすでにここに出ている。韻文の特権である、「圧縮」と「飛躍」による「純粋表現」を散文の上に試みて、「歌行燈」や、「高野聖」を書いた、というも、三島の解説より先に把握されていたことである。ただし、三島のような「今こそ鏡花再評価の機運が起るべき時代だと信じてゐる」といった「華」のある解説に比すると、伊藤の論は地味である。伊藤自身も「日本現代文学全集」（昭和四十年一月、講談社）の泉鏡花集の解説を書いているが、伊藤は、今後鏡花を読むのはますます困難になるだろう、と言っており、あまり勢いがない。

三島の解説は、ともすれば美辞麗句といえそうな語句が多く、「すばらしい」といった凡庸な?賛辞があったりして、批評というにはエモーションが過多だが、鏡花のモダンさを高く評価し、読者を高揚させることに成功した。

最終的に三島は、「内田百閒・牧野信一・稲垣足穂」の解説を昭和四十五年二月に執筆し、これが全集解説の最後となる。ここでは、内田百閒がたいへん評価されていて、片や鏡花は妖怪作家になっている。三島の複数のペルソナのなせる業か。これもよく検討してみたいが、今後の課題とする。

（藤女子大学文学部教授）

注1　「決定版三島由紀夫全集」35巻（新潮社）、以後全集と表記し、引用はすべてこれによる。

2　三島の解説は、「（鏡花ブームの）端緒を開く役割を果した」と評価される。（「東郷克美「解説」、「日本文学研究資料叢書　泉鏡花」有精堂、一九八〇年、二九四頁）など。つい最近の「朝日新聞」、「没後50年　三島由紀夫　多彩なる才能」（二〇二〇年十一月二十五日）によって、「それまで古くさい日本的情緒を描く作家とみられていた鏡花を、作家の澁澤龍彦とともに、新しい超現実の探究者として打ち出した」と、三島の鏡花評価を確認している。（筆者山崎聡）

3　「全集」33巻

4　鼎書房、二〇一一年九月、二八頁

5　「全集」26巻

6　「全集」26巻解題

7　「三島由紀夫研究」12、「三島由紀夫と同時代作家」所収「吉屋信子と三島由紀夫」鼎書房、二〇一二年六月

8　明治二十九年九月「大倭心」、「片山里」の一篇。初出「野社」、「氷売」、「炭の鋸」、と題名の変遷があり、明治四十二年四月、春陽堂刊「柳筥」収録の際、「紫陽花」と題される。

9　「全集」34巻

10　「三島由紀夫の文学」（試論社、二〇〇九年）所収

11　「全集」31巻

12　大正十四年三月一七日との擱筆日あり。

13　これは斎藤の遺作であって、斎藤は戸張竹風、鏡花共訳の「沈鐘」が出ることを知っていた。ただ、この論は、たぶんにドイツロマン派の特色に肩入れした記述が多く、鏡花はまだそれに及ばないといった見解であって、全体としては論理が首尾一貫してはいない。

鈴木啓子「泉鏡花とロマンチック」（「国語と国文学」二〇〇六年十一月号）参照。

14　西川貴子、「冒険」を語り出す場―泉鏡花「黒百合」試論、（「日本近代文学」第66集、二〇〇二年五月）、秋山稔『黒百合の生成』初出二〇一三年三月、「転生する物語」所収（梧桐書院所収、二〇一四年四月）など。

15　「読売新聞」（明治三十二年六月三十日「葉がき集」は、読者の「黒百合」への酷評が掲載される。また、同新聞明治三十五年九月十七日「葉がき集」には、かつて、「（小栗風葉）「恋慕流し」」が連載されたときは不評、悪罵があり、「黒百合」もその傾向があったが単行本として公にされてからは好評、とある。

16　七三頁「高野聖」について、月光にかがやく山頂の谷川、陰森の気のみなぎるやぶれた孤屋、肌の色の匂ふばかりの裸体の美女、どれもさながらドイツ浪漫派の景情である、との見解が示される。

17　「全集」40巻

18　昭和二十六年十月の新派初演、昭和三十年二月「歌舞伎座」莟会公演、昭和三十五年十一月、歌舞伎座公演、これは三十年と同じく莟会、歌右衛門の富姫での上演がある。（十一月一日〜二十六日）なお、新劇では昭和四十九年十二月、文学座、富姫を杉村春子、亀姫を稲野和子、図書之助を江守徹で上演。以上、「鏡花全集」（岩波書店）別巻の解説、および田中励儀、「龍峰集」月報（二〇一九年十月）、東京国立劇場の公式サイト※、昭和二十六年、新派上演パンフレット、昭和三十五年、歌舞伎座公演パンフレット参照。

※https://www.nntt.jac.go.jp/play/tenshu/kyouka.html

19　「三島由紀夫研究」11「三島由紀夫と編集」（二〇一一年九月）インタビュー、松本氏は「少女倶楽部」から「群像」にうつる。なお、「全集」42巻年譜によれば、三島は「宴のあと」のプライバシー問題のころ、昭和三十五年十一月一日から、深夜夫人同伴で世界旅行に出発、三十六年一月二十日に帰国しているので、三十五年の「天守物語」公演は見ることができない。

20　種村季弘（「泉鏡花集成」7、一九九五年十二月）は「天守物語」の解説で、サロメとともに、「汚穢やの、ああ、甘味やの」と生首をなめる舌長姥に、「マクベス」の魔女の美醜の価値転倒をみている。あたっていると思う。

21　「全集」40巻所収

特集　三島由紀夫・『作家論』

肉体を見るのは誰か——三島由紀夫の『金色の死』論を読む

中村ともえ

一、金粉ショー
——嵐山光三郎が見た三島由紀夫（一）

嵐山光三郎の自伝的小説『口笛の歌が聴こえる』（八五、新潮社）に、主人公の英介が笠井 叡《あきら》に三島由紀夫に会わせてやると言われて錦糸町のキャバレーに連れて行かれる場面がある。英介は笠井から師の土方巽の代役として金粉ショーに出てくれと頼まれ、全身に金粉を塗ってダンサーたちと舞台へ踊り出る。

> 映画『００７ゴールドフィンガー』が大当りをとっているときだった。金粉を塗ると、皮膚が呼吸困難になって、三時間で死ぬ。金粉を塗られて死ぬ女ダンサーの全裸姿が、００７映画のポスターになっていた。（略）いずれの眼も、／「ダンサーたちが死ねば面白い」／と思っているようだった。すると、英介は自分の眼も、同じように自分の肉体を見ていることに気づくのだった。（略）笠井は英介に近づいてきて、／「ほら、自分の躰を見てみろよ。黄金の肉体だろ」／と言った。「それが、三島由紀夫だよ」（略）「そうか。笠井叡が言ったミシマユキオとはこのことだったのか」

一九六五年四月、このとき大学生だった英介は、後に嵐山光三郎というペンネームを名乗ることになる。金粉ショーに臨時出演した数ヶ月後、英介は土方の舞踏場で澁澤龍彦に赤ワインをかけられる三島由紀夫を見かけ[1]、後には雑誌記者として取材も行う。

『口笛の歌が聴こえる』には、暗黒舞踏の笠井叡や土方巽、三島由紀夫、澁澤龍彦、また唐十郎や横尾忠則といった六〇年代後半の文化的スターたちが実名で登場する。巻末には六四年から六九年までの「本作作中人物の動向」をその年の主な社会的出来事、流行・風俗と並置する年表「時代テーブル’64〜’69」と、「虚実登場人物索引」が付されている。ここには六〇年代後半の東京を舞台にした実在の人物たちの動向が虚実ないまぜに再現されているのである。登場人物の一人でもある唐十郎は、文庫版の解説でこれを「大河メモランダム」と呼び、自身も出演していた金粉ショーに擬えて、嵐山のように金粉ショーを何度もやると重複の中に変形が起きるはずだ、と含みのある言い方をしている[2]。

映画「007」シリーズの第三作に当たる「ゴールドフィンガー」の日本公開は六五年四月で、唐十郎らが金粉ショーをしていた事実も確認できる。嵐山が金粉ショーに出演したことも実際にあったようである。しかしそれが三島由紀夫だとは、おそらくこの時点では言い得ない。この台詞は谷崎潤一郎の小説『金色の死』（「東京朝日新聞」一四・一二・四〜一七）を論じた七〇年の三島由紀夫の批評を下敷きにすると考えられるからである。つまり右の場面は、嵐山の体験や三島のテキスト、そうした諸々を材料にして出来上がった混合物だと思われる。

だが金粉を塗った自分の黄金の肉体を死を期待する眼で見ればそれが三島由紀夫である、とはどういうことか。以下は、嵐山光三郎によるこの奇妙な三島由紀夫の定義を解するための、やや込み入った説明である。虚実を選り分けるのではなく、六〇年代後半の三島由紀夫を混合物を解きほぐすようにして考えてみたい。まずは『金色の死』を論じた三島のテキストを読み、その論理の要点を抽出する。

二、ファリック・ナルシシズム
——三島由紀夫の『金色の死』論（一）

七〇年一〇月に中央公論社から刊行された三島由紀夫の『作家論』には、二篇の谷崎潤一郎論が収められている。河出書房新社の『豪華版日本文学全集』と新潮社の『新潮日本文学』の谷崎潤一郎集の解説で、刊行はそれぞれ六六年一〇月と七〇年四月である。三島には他にも複数の谷崎論があり、後者はそれを踏まえて「私はすでに数度、谷崎氏の全作品について論じている。それを繰り返すことを好まない」と書き出されている。ではなぜこの二篇なのか。『作家論』では削られているが、前者の解説には後者を用意する以下の注記があった。

＊　この評論を書いたとき、「金色の死」を未読であった。「金色の死」は、このようなナルシシズムの、氏にとっての全く例外的な作品であるが、芸術的にはみごとに失敗している。しかし、この失敗はきわめて意味が深い。この失敗によって、氏は、生涯氏に災いしたかもしれぬもっとも危険な思想への岐れ路を（おそらく無意識に）避けえたからである。

三島はこの解説で、谷崎の「エロス構造」には「ファリック・ナルシシズム」が欠けていると論じていた。右は「氏は生涯を通じてノーマン・メイラーのいわゆる「ファリック・ナルシシズム」を持たなかった」という箇所への注である。『新潮日本文学』には、この時点で未読だったという『金色の死』が「おそらく三島の判断で[3]」収録され、三島は「一短篇にすぎぬ「金色の死」に焦点を当て、「金色の死」論に終始した」（「あとがき」『作家論』）異例の解説を寄せた。文中には「ナルシシズム」はあっても「ファリック・ナルシシズム」の語はないが、前者を踏まえると三島が『金色の死』に何を見出していたかがわかる。

三島はこの解説を、これまで書いた「オーソドックスの谷崎論」に対し、例外的でかつ失敗作である『金色の死』を「逆照明の光源」として選び、谷崎によって「完全に放棄された思想」を探るものと位置付ける[4]。忌避され放棄された思想というのが、すなわちファリック・ナルシシズムである。本稿ではこの『新潮日本文学全集』の解説を三島の『金色の死』論と呼ぶこととする。

谷崎潤一郎の『金色の死』は、小説家の「私」が、ともに「偉大なる芸術家」を志した「少年時代からの友人」である岡村君の生涯を語るという枠組みの短篇小説である。「私」は岡村君の「人間の肉体」を最上とする芸術論、「生ける肉体を以て構成された」芸術創作、そして「死んでも猶肉体を捧げて自己の芸術の為に努力するかと訝しまれ」た死を語る。本作は初出では「或る富豪の話」という副題が添えられていたが、遺産を費やして理想の庭園――「芸術の天国」――を創作する岡村君は、エドガー・アラン・ポーの『アルンハイムの地所』の主人公・エリスンの日本版と言うべき人物である。

だが岡村君の理想郷は、三島の『金色の死』論ではほとんど触れられていない。三島は論の最後でこれを醜く貧相だと否定し、「私はここの描写から、世界最高の俗悪美の展示場ともいうべき、香港のあのタイガー・バーム・ガーデンを想起した」と感想を述べるにとどまる。三島のタイガー・バーム・ガーデン訪問記「美に逆らうもの」（「新潮」六一・四）には、「中国版のエリスン、ポオの「アルンハイムの地所」の主人公の中国版」だが「エリスンと同じ美的意図を以て造られながら、おそらくこれ以上はできまいほど見事に、美を裏切っている」とあり、その醜悪な様子、特にコンクリートに彩色した「猥褻な裸体」が描写されていた。岡村君の芸術は、これと同様に美に反するものとして論の外に追いやられているのである。

三島の『金色の死』論は、岡村君が創作した芸術は除外して、彼の芸術論を分析対象にする。三島は、岡村君がレッシングをめぐって「私」とディスカッションを闘わせる箇所から[5]、岡村君の芸術論を（その一）から（その十）まで番号を振って引用し、それぞれ「単純化して、概括」した上でそれらを三つの命題に整理し、さらに「しつこいようだが」とその命題を再度並べて検討する。「最終命題」

は、「故に、官能的創造の極致は自己の美的な死にしかない」と締めくくられている。つまりこの長く執拗な分析は、岡村君の芸術論から死という帰結を論理的に導き出すために行われているのである。

『金色の死』では、財産を遣い切った岡村君は死を予期したような言動はするが、自らの芸術論に則って死ぬわけではない。舞踊劇に登場するさまざまな人物に扮した岡村君は、「満身に金箔を塗抹して如来の尊容を現じ」て踊り狂い、「金箔の為めに体中の毛孔を塞がれて死んだ」ところを発見される。三島は、岡村君の芸術論と結末における彼の「金色の死」の間を論理によって架橋しようとしているのである。

三、見る者としての男性

——三島由紀夫の『金色の死』論（二）

十箇の芸術論の引用の中で、三島が重視するのは「肉体」に関連する箇所である。たとえば（その四）は、眼でもって直に感じられる美をよしとするという内容だが、三島はその中の「そのうちでも最も美しいのは人間の肉体だ。」という一文に「傍点三島」と断って傍点を振っている。また、（その八）の「最も貴き芸術品は実に人間の肉体自身也。芸術は先づ自己の肉体を美にする事より始まる」と、（その九）の「人間の肉体に於て、男性美は女性美に劣る」の間に「もっとも本質的な矛盾がひそんでいる」と述べる。

三島が言う矛盾は、美の視覚的な享受、とりわけ人間の肉体を芸術として享受することと、自己の肉体を美にすることの間にある。「美の創造者、認識者、判定者」である芸術家にとって、美はあくまで「外的に対象的に把捉しうるものでなければならず」、したがって「純対象的に把捉しえない自己の美は、むしろ美を混乱に導く」からである。

この矛盾が解消されるのは死の瞬間だという。この議論のポイントは、美を創造し認識する芸術家が男性である点にある。死という帰結を導き出す以下のくだりを、三島が「男」という要素をどのように論理の中に組み込んでいるかに注意しながら読んでみよう。

> （視覚的官能が——引用者注）それこそ男の特質であるなら、男が美であるためには、その観念性を放棄せねばならず、それを放棄するときには「見る」という男の官能の特質をも放棄し、すなわち美を存在せしめる感覚的源泉の自己否定に終るではないか。すべての美が男の意識からのみ生れるものであれば、この強烈な主観哲学が客観性を持つためには、男は二重の役割を持たねばならぬ。すなわち、美の創造者と体現者の一人二役である。岡村君は、美の客観性の保障として、自分が外面的には美そのものであり、（しかもその美

を保障するものは、視覚的官能の持主としての男しかいない筈だから、すなわち、自分の美の保障者は男たる自分自身のみである）、内面的には美を存在せしめる官能の源泉であろうとした。芸術家と芸術作品を一身に兼ねることにより、この矛盾を解決しようとしたのである。そしてその一致の瞬間とは、自分の意図した美が完成すると同時に自分の官能を停止せしめ、すなわちその金粉が皮膚呼吸を窒息させ、自分の内面にはもはや何ものも存在しなくなり、肉体は他者にとっての対象に他ならなくなり、すなわち死体になった瞬間であった。　（傍点引用者）

視覚的官能が男性に属することは、「男の特質であるなら」という仮定として議論の中に導入されている。これは以後も、「すべての美が男の意識からのみ生れるものであれば」、「視覚的官能の持主としての男しかいない筈だから」と、仮定条件の形で議論の前提をなしている。

念のため断っておくと、『金色の死』では眼でもって感じる美は称揚されるが、その眼が男性のものだという限定はない。右の三島の議論でも、岡村君を主語とする一文には「男」は入っていない。この一文では括弧内で挿入句的に、「男」が「自分」を形容するように、「男たる自分自身」として「自分」に結び付けられている。金粉によって死ぬという内容から岡村君のことを指すとわかるその後の文章にも、「男」はなく「自分」のみである。

野口武彦は、「三島が岡村君の二つの警句の間にあるとする論理的矛盾が実際に論理的矛盾であるためには、第一の文章が「最も貴き芸術品は実に男の肉体也。芸術は先づ男の肉体を美にする事より始まる」という命題に読みかえられる必要があることは自明だろう」と述べ、三島が「岡村君の語意を強引に読みかえて、そこに男である自己の肉体を「最高の芸術品」と考える自分の主張、いわばナルシシズムの論理とでも呼ぶべきものをすべりこませてしまっている」と指摘する。[6] 美学者の谷川渥も、「三島のいうように、そこに本当に矛盾あるいは撞着があるとすれば」、（その四）を「最も美しいのは男の肉体だ」、（その八）を「最も貴き芸術品は実に男の肉体自身也」と「読みかえるかぎりにおいて」だと述べる。[7] なるほど三島が「アポロのような美青年」と呼ぶ岡村君は、作中では女柄の着物を身につけ薄化粧をしており、彼の言う肉体美は男性のそれに限定されない。それ自体は矛盾しない岡村君の芸術論に三島が強引に矛盾を見出していることは、多くの論者が指摘している。

しかし、三島の議論が成り立つためには「肉体」を「男の肉体」と読み換える必要があるというのはどうか。三島の論理において「男」の要素が組み入れられるのは視覚的官能の側で、男の肉体が美しい、男の肉体が芸術であるとは言っていない。

美を「見る」ものと考える男性的意識は、その識閾下における更に男性的なナルシシズムと、おそらく相互に表現不可能・了解不可能の形で結び合わされているのが人間の宿命ではなかろうか。ともすると男とは、男性本来のもっとも強烈なナルシシズムを癒すためにのみ、意識的な対象性慾を授かって、そのほうへ馴化されてゆく存在ではなかろうか。意識自体が自意識を表現不可能たらしめているのである。（傍点原文）

ここでは、美の認識と「男性的なナルシシズム」とが「意識」と「自意識」として区別され、互いに表現不可能な関係にあると結論されている。この男性的ナルシシズム＝自意識が、ファリック・ナルシシズムであろう。付言すると、三島がこの語を借りるノーマン・メイラーの『彼女の時の時』も男の肉体美の話ではない(8)。

三島は「ナルシシズム論」（「婦人公論」六六・七）でも、「自意識というものは全然男性的なもの」だとして、女性にはナルシシズムはないと断じている。三島によれば、肉体と乖離した精神が「自分の肉体を客観的に眺め、又、自分の精神を以て自分の精神自体をも、客観的に眺める」のが自意識である。つまり肉体が問題になるのは、それを見る自分の意識との関係においてであり、鏡に映る筋肉が「自分でありながら純粋な「他者」」であるように、それは自分でありながら自分でないものとして眺められる。三島の議論において、肉体とは自分が見る自分の謂いなのである(9)。

こうした男性観は、『金色の死』論に含まれる『金色の死』以外の谷崎作品へのコメントにも通底している。たとえば『春琴抄』（「中央公論」三三・六）の佐助が眼を突くのは「部分的自殺」だが、それは『金色の死』の「自己を美と考える心理機構とは無縁の方法であり、明らかな認識者の方法である」という。また、『卍』（「改造」二八・三～三〇・五）を「レズビアニズムという、男性の自意識を全く免れた世界」と紹介し、『瘋癲老人日記』（「中央公論」六一・一一～六二・五）では末尾の医師の記録に注目する。三島は『豪華版日本文学全集』の解説でも、『春琴抄』の佐助が眼を突くことと『瘋癲老人日記』の医師の日記を並べて、そこに認識の主体である男性登場人物の「肉体をゼロへ近づけ」るという意味を読み取っていた。

谷崎潤一郎の『瘋癲老人日記』は、卯木老人の日記の後に、「佐々木看護婦看護記録抜粋」、「勝美医師病床日記抜粋」、娘の「城山五子手記抜粋」の三種の記録を配置する。看護婦は老人が発作に襲われ「日記をつけることは絶対不可」になったことを、医師はその後の入退院の日々を、娘はさらにその後の家庭での日々を報告する。作品の大部分を占めるのは息子の妻である颯子に執着し惑溺する老人の日記だが、本作は最後に他の人々の記録を通じて老人を描く。看護婦と娘の手記には、老人の日記に記された蠱惑的な颯子とは一致しない彼女の姿が書きとめられている。この時点で老人はもはや日記を書くことができなくなっており、颯子という対象を認識する主体の位置にはいない。

　三島が特に注目する医師の日記は、老人の颯子への執着には触れず、ただ彼の身体の調子を血圧の数値等によって医学的に記述する。[10]『瘋癲老人日記』でも『春琴抄』でも、三島は見る者としての男性が消去される箇所に反応しているのである。三島の谷崎論は、作中人物の女体への拝跪を指摘するにとどまる凡百の谷崎論とは違って、認識の主体である男性が対象を見る能力を失う、作中のポイントを指さしている。

四、「芯」という比喩
——嵐山光三郎が見た三島由紀夫（二）

　話を六〇年代後半の三島由紀夫に戻そう。『口笛の歌が聴こえる』の英介は、大学卒業後、平凡社に入社し、雑誌「太陽」の記者として三島に取材を行う。記事は作中にある通り、檀一雄の文章と石元泰博の写真で、「太陽」一九六九年一月号に掲載されている。編集会議ではミーハーだと批判されたという嵐山の企画がどのようなものだったのか、参考までにシリーズの各回のタイトルを挙げておく。「おおジャイアンツ」、「映画侠客　高倉健」、「ジャズ髭野郎　渡辺貞夫」、「七生報国　三島由紀夫」、「栄養教祖　江上トミ」、「図案童子　横尾忠則」、「河原芸人　状況一座」、「国会議員　青島幸男」、「天下泰平　女プロレス」、「舞踏侯爵　土方巽」、「慟哭少年　森進一」[11]。

　土方巽邸で見かけて以来、ようやく対面を果たした三島は、「小ぶりで、ガラス細工のような肉体だが、その中身は真空のガラスの感じ」がした。英介は三島の肉体が破裂してガラスの破片が飛び散るさまを想像する。どういうところを撮影したいのかと質問された英介は、「芯のないところ」と答えて三島を怒らせる。『盗賊』の創作ノートの一節だと弁明すると三島は気をとりなおし、「「しかし、あれは昔書いたものだ。いまの私は、芯がある、と思っている。いつか、その芯の正体がわかるだろう」／と言った。謎を秘めた言葉だった」。『口笛』のこの章の見出しは、「三島由紀夫、死へ向かう突撃の美学。いつか自己の「芯」を見せてやると、ボディビルセンターで宣言した。」である。「芯」を見せてやるとは三島の台詞の要約だが、自己のと補っている点に注意したい。

　「太陽」の誌面を見ると、人力車を引く三島の写真の下に「芯のない玉葱」の一節が引用され、「盗賊ノート」とある。だが出典がそうだとしても、この場面の「芯」の比喩には、『太陽と鉄』（「批評」六五・一一～六八・六）の議論が響いているように思われる。

林檎の比喩をつづけよう。（略）林檎の中心で、果肉に閉じこめられた芯は、蒼白な闇に盲い、身を慄わせて焦躁し、自分がまっとうな林檎であることを何とかわが目で確かめたいと望んでいる。林檎はたしかに存在している筈であるが、芯にとっては、まだその存在は不十分に思われ、言葉がそれを保証しないならば、目が保証する他はないと思っている。事実、芯にとって確実な存在形態とは、存在し、且、見ることなのだ。しかしこの矛盾を解決する方法は一つしかない。外からナイフが深く入れられて、林檎が割かれ、芯が光りの中に、すなわち半分に切られてころがった林檎の赤い表皮と同等に享ける光りの中に、さらされることなのだ。そのとき、果して、林檎は一個の林檎として存在しつづけることができるだろうか。すでに切られた林檎の存在は断片に堕し、林檎の芯は、見るために存在を犠牲に供したのである。

　ここでは、「見ることと存在することとの背反」が林檎の比喩を用いて説明されている。林檎の中の芯は、外側の赤い果皮を見て自分の存在を確かめたいと切望している。果皮を見るためには果肉にナイフが入り芯が表にさらされる必要があるが、それは存在を犠牲にすること、つまり死に行き着く。「芯」は、自意識の比喩である。つまりここで語られているのは、『金色の死』論と同じく、自意識の論理的帰結としての自己の死である。

　だが林檎の芯が果皮を見るとは、自己の内面が外面を見るとはどういう意味か。三島の言う肉体は、自分が見る自分のことである。厳密には、見るという比喩を文字通り眼でもって見ることへと変換し、自分が見る自分を可視化したものが肉体と呼ばれる、と言うべきだろう。例として持ち出された林檎が比喩なのではなく、見ることが既に比喩なのである。

　三島は『金色の死』論で、岡村君の死は彼にとっては美の認識をめぐる矛盾が解消される瞬間だが、そのとき彼の視覚的官能は停止し、「肉体は他者にとっての対象」すなわち「死体」になると述べていた。『金色の死』の結末部では、岡村君の「金色の死体」とその下に跪いた人々が形作る光景が、「私」によって「一幅の涅槃像」として眺められる。このとき岡村君の肉体は、美を創造し認識する芸術家である彼自身が見るものではなく、他者によって見られる美的対象になる。タイトルの「金色の死」は岡村君の死を指すが、本文の「金色の死体」は「私」によって眺められた彼の死体のことである。

　『金色の死』論の三島は、谷崎潤一郎の『金色の死』という作品を、「私」ではなく岡村君の側に立って、美の認識をめぐる寓話のように読み換えている。三島はそうして自分が見る自身の肉体が人に見られる彼の死体になる飛躍を語るのである。

（静岡大学准教授）

注1　この挿話は嵐山の『文人悪食』（九七、マガジンハウス）にも出てくる。

2　唐十郎「解説」（『口笛の歌が聴こえる』八八、新潮文庫）。

3　清水良典「解説　谷崎文学の実験簿」（『金色の死　谷崎潤一郎大正期短篇集』二〇〇五、講談社文芸文庫）。

4　本作は谷崎の生前の自選全集に収められなかったが、三島はその事実を根拠に「『金色の死』を否定したことにより、谷崎氏は自己の芸術的方法の根本的矛盾に目をつぶ」ったとする。ただし未収録作は複数あり、谷崎は特に『金色の死』を忌避したわけではない。

5　岡村君と「私」のレッシング論の背景については、拙稿「学問としての美学―「校友会雑誌」の論争から『金色の死』へ」（『谷崎潤一郎論―近代小説の条件』二〇一九、青簡舎）参照。

6　野口武彦『谷崎潤一郎論』（七三、中央公論社）。傍点原文。

7　谷川渥「谷崎潤一郎vs三島由紀夫―『金色の死』をめぐって」（『肉体の迷宮』二〇〇九、東京書籍）。傍点原文。谷川編『三島由紀夫の美学講座』（二〇〇〇、ちくま文庫）では、『金色の死』論が「肉体と死」という最後のセクションの末尾に、「三島の肉体論の総決算」として収録されている。

8　三島は「ノーマン・メイラー」（「朝日ジャーナル」六三・二・一七）で、『彼女の時の時』（『ぼく自身のための広告』下、山西英一訳、六二、新潮社）の登場人物の発言、「あんたはファリック・ナルシシスト（男根的自己陶酔者）でしょう」を引用している。主人公は五十人の女性と肉体関係を持つ闘牛教師で、不感症の大学生に快感を与えようと繰り返し挑む。「ファリック・ナルシシスト」は精神分析を受けているというその大学生が口にする単語で、主人公もそれを認める。三島は「私の中の「男らしさ」の告白」（「婦人公論」六三・四）でも同作を挙げている。

9　『太陽と鉄』の冒頭の議論、「私が「私」というとき、それは厳密に私に帰属するような「私」ではなく、私から発せられた言葉のすべてが私の内面に還流するわけではなく、そこになにがしか、帰属したり還流したりすることのない残滓があって、それをこそ、私は「私」と呼ぶであろう。／そのような「私」とは何かと考えるうちに、私はその「私」が、実に私の占める肉体の領域に、ぴったり符合していることを認めざるをえなかった」は、これを別の言い方で述べたものだろう。『作家論』の「あとがき」では、「本書は、私批評ともいうべき「太陽と鉄」と共に、私の数少ない批評の仕事の二本の柱を成すものと考えられてよい」と、『作家論』と対になるものとして『太陽と鉄』が挙げられている。

10　三島は『瘋癲老人日記』に何度か言及しているが、「谷崎潤一郎論」（「朝日新聞」六二・一〇・一七～一九）の分析が最も詳しい。三島は「こんな明晰な対象の存在する世界で、自意識が分裂を重ねている暇があるだろうか？（略）目に見えるものだけが美でありうるような世界で、精神がナルシシズムに陥っている暇があるだろうか？」と反問している。

11　「太陽」六八・一〇～六九・九、六九・七は欠。『口笛』では取材の時期が全体にはやくなっており、三島には六七年一月に取材したことになっている（『文人悪食』（前掲）では、取材は「自決する一年前、昭和四十四年のこと」だと正確に記されている）。また、シリーズ名の「ズバリ現代」は『口笛』では「当世綺風傳」で、各回のタイトルも「おおジャイアンツ」が「嗚呼巨人軍三塁名手長島茂雄」、「ジャズ髭野郎　渡辺貞夫」が「黒人怨歌渡辺貞夫」と、企画案ではすべて漢字に揃えられている。

［付記］三島の谷崎論は『作家論』（七四、中公文庫）・『谷崎潤一郎・川端康成』（二〇二〇、同）、谷崎の『金色の死』・『瘋癲老人日記』は決定版『谷崎潤一郎全集』（二〇一五～一七、中央公論新社）に拠った。旧字は適宜新字に改め、ルビは省略した。改行は／で示した。

ミシマ万華鏡

佐藤秀明

昔、まだ二十代の大学院生だった頃、紹介されて秋山正という人と飲んだことがある。新宿の松栄寿司という店で、中年や初老の人たち三、四人と一緒だった記憶がある。一階のテーブル席で、ガヤガヤした店だった。三島由紀夫を研究しているという、この先ものになるのかどうかもわからぬ私を、連れて行ってくれた人がいたのだ。

　秋山さんは白髪の紳士で、三島由紀夫の家の椅子を二脚持っているという。酔って、それを上げようかと言った。嬉しかったけれど、狭い安アパートのどこに置くのかとふと思い、絶望的な気持ちになったのを覚えている。

　秋山正という名前をその後はっきりと知った。この名前でピンとくる人はかなりのマニアだ。「サド公爵夫人」の初演の美術担当の人である。二度目の同じく松浦竹夫演出の公演も、三度目のＮＬＴ公演も、四度目の浪曼劇場公演も、美術は秋山さんである。

　秋山さんは三日月というインテリアの会社の代表だった。浪曼劇場の「皇女フェドラ」では考証を担当している。フランスのアンティーク家具に詳しかったのだろう。

　初対面の世慣れた人たちと飲んで、私は酔っぱらった。どんな話をしたのかも覚えていない。三島の椅子二脚がちらちらと頭に浮かんでは消え、やっぱりどうしてもそれはほしいと言えなかった。若かったし、自分に自信がなかったからである。

　あの椅子はどこかにあるはずである。

特集　三島由紀夫・『作家論』

異界の語り方——三島由紀夫による内田百閒論——

河野龍也

一

三島由紀夫の内田百閒論は、中央公論社のアンソロジー『日本の文学』第三十四巻の内田百閒・牧野信一・稲垣足穂の巻（一九七〇・六）を編集した際に巻末解説として書いた文章が、のちに『作家論』（一九七〇・一〇、中央公論社）のなかに収録されたものである。

三島は冒頭、〈もし現代、文章というものが生きているとしたら、ほんの数人の作家にそれを見るだけだが、随一の文章家ということになれば、内田百閒氏を挙げなければならない〉と述べ、さらに〈何でもよい、百閒の名品を一篇とりだして、「芸術品とはこういうものだ」と若い人に示したい気持に私は襲われる〉とまで言っている。そこには最上級の賛辞がある。

同巻の月報には、一九七〇（昭和四五）年五月八日、赤坂のフランス料理店「シド」で行われた澁澤龍彦との対談「タルホの世界」も収録されている。そこでも三島は、〈百閒さんの文章というものは、昭和文学の最高の文章じゃないかというくらいに考えているわけです〉と同趣旨のことを語っている。この百閒評は、最晩年の三島が思い描いていた文章や芸術の理想形を知るよすがとして貴重なものだろう。

三島が解説する〈百閒の文学の品質〉とはどのようなものであったのか。

> 百閒文学は、人に涙を流させず、猥褻感を起させず、しかも人生の最奥の真実を暗示し、一方、鬼気の表現に卓越している。このことは、当代切ってのこの反骨の文学者が、文学の易しい道を悉く排して最も難事を求め、しかもそれに成功した、ということを意味している。百閒の文章の奥深く分け入って見れば、氏が少しも難かしい観念的な言葉遣いなどをしていないのに、

大へんな気むずかしさで言葉をえらび、こう書けばこう受けるとわかっている表現をすべて捨てて、いささかの甘さも自己陶酔も許容せず、しかもこれしかないという、究極の正確さをただニュアンスのみで暗示している、皮肉この上ない芸術品を、一篇一篇成就していることがわかる。

　三島はこのように、「現代随一の文章家」として百閒を称賛するのだが、文章の達人という見方自体は、百閒の作家論としていささかありきたりなものと言えなくもない。なぜなら、「文章道」は百閒自身が表看板として掲げていたもので、すでによく知られたものだったからである。

　例えば自作が舞台化・映画化されることへのためらいを綴った次の文章などは、その種の百閒の自己言及として代表的なものだろう。

私ハ従来ノ作品ニ於イテ文章ヲ書イタノデアッテ物語ノ筋ヲ伝ヘヨウトシタノデハナイ積リデアル。サウ云フ積リデ書イタ私ノ作物ノ中カラ芝居ナリ映画ナリノ組立テガ成ツタト云フノハ、ソノ事ニ携ハツタ脚色家ノ労苦ト好意ニヨル事デアツテ、私トシテハ深甚ノ感謝ヲ致サナケレバナラヌト考ヘルガ、同時ニ作者トシテ自省ス可キ点ガアルト思ハレル。ツマリ私ノ文章ガ未熟デアル為ニ後デオリガ溜マリ或ハシコリガ出来テ、サウ云フトコロガ人人ノ話ノ種ニナルノデハナイカ。モツト上達スレバ私ノ文章モ透明トナリ何ノ滓モ残ラヌデアラウ。サウナレバ芝居ヤ映画ニナル筈ガナイ。今日ノ事ハ私ノ文章道ノ修行ノ半バニ起コツタ一ツノ戒メデアルト考ヘラレル。読者ガ私ノ文章ヲ読ム以外ニハ捕ヘル事ガ出来ナイト云フ純粋文章ノ境地ニ到達スル様一層勉強スルツモリデアル。（内田百閒「序」『頰白先生と百鬼園先生』一九三九・四、新潮社）

文章を書く者はそれだけで完結した「純粋文章」の境地を目指すべきで、別な形に脚色されてしまうのは文章に瑕疵があるからだと百閒は言う。翻って舞台や映画に作品を使われた自分は、「文章道」においていかにも未熟者だと百閒は嘆いて見せる。

　全盛期の古川ロッパが主演した映画「頰白先生」（阿部豊演出、一九三九年三月二〇日封切、東宝）と舞台「百鬼園先生」（伊藤松雄脚色、一九三九年四月興行、有楽座）について、モデルの百閒が確かに不満を抱いていたらしいことは、『菊の雨』（一九三九・一〇、新潮社）に収録された「舞台稽古」や「映画放談」などの文章にもはっきりとあらわれている。だが、この序文の気難しそうな言辞が、一転無類のユーモアを醸し出していることにも注目すべきだろう。

興行にあやかって企画された商業出版に応じる一方、その序文に苦り切った顔で登場してみせる百閒の振る舞いには、狙いすました偏屈さの演出を見ないわけにいかない。それでいて皮肉や嫌味に陥らず、飽くまで真剣なところにかえってとぼけた味わいがある。

しかし、三島における百閒理解はこのような方面にわたらず、極めて生真面目なのである。もっとも、百閒のユーモアが全く無視されているわけではない。解説の末尾には、〈わざと重厚に構えて、自意識を幾重にも折り畳んで、いうにいわれぬとぼけた味を出すユーモアを味わおうとする人は、近業の「特別阿房列車」に就かれるがいい〉という一節も見える。しかし、ユーモアへの言及はたったこの数行だけで、内容もいささかそっけない。

「文章家」のレッテルに依拠した三島の解説は、ある種百閒論の王道と言えるものである。だが、〈当代稀な純粋作品〉〈微妙な風趣に充ちたストイシズムの成果〉などの言葉で百閒の「純粋文章」の理念を忠実に敷衍し、その見立てによってどこまでも押して行こうとする三島の立論には、作家の全体像をバランスよく描き出すというような、せせこましい親切さはない。しかし、このふてぶてしいまでに確信に満ちた論述が、一見ありきたりに見える観点を一個の凝縮された主張へと押し上げているのは確かなのである。

事新しく言うまでもなく、百閒には幻想作家の側面と随筆家としての側面とがあった。しかし、仕事量においては独特のユーモアを放つ随筆が圧倒的で、それが戦前から百閒文学の定評を形作ってきた。ところが、「冥途」「花火」「短夜」「件」（以上、『冥途』一九二二・二、稲門堂書店初収）、「山高帽子」（『中央公論』一九二九・六）、「東京日記」（『改造』一九三八・一）、「磯辺の松」（原題「柳撿挍の小閑」『改造』一九四〇・五〜八）、「サラサーテの盤」（『新潮』一九四八・一一）、「実説艸平記」（『小説新潮』一九五〇・九）、「特別阿房列車」（『小説新潮』一九五一・一）という、『日本の文学』第三十四巻の目次に並んだ十篇のリストを眺めると、随筆はわずかに「実説艸平記」と「特別阿房列車」を数えるのみで、それ以外の作品はすべて小説ジャンルからの選定であることに気づく。三島がいかに随筆家百閒よりも小説家百閒を高く買っていたかが分かる。しかも、一途に言葉の力を信じ、〈純然たる想像力〉によって、日常とは別世界を創出する虚構作者としての百閒像に、三島の解説は太い輪郭線を与えようとしているのである。

二

一九二一（大正一〇）年一月、「冥途」の総題で「冥途」「山東京伝」「花火」「件」「土手」（単行本では「道連」）「豹」の六篇が『新小説』に出たとき、漱石門下で親交があった森田草平が、「みんな話の落ちがあるのは変だね」と作者に言うと、「落ちがなくつて、何うして話の結末が附けられますか」と百閒から反論されたという逸話がある（森田草平「『冥途』其他」三『読売新聞』朝刊、一九二一・一・二六）。草平は〈本当に生活の全部があの内容と融合してゐる作者なら、落ちはなくとも何うにか出来さうに思はれる〉と述べているが、創作を独立した世界構築と見て生活から峻別するところに百閒の発言の意図があったのだとすれば、これは三島の基底にある問題意識とまさに響きあうものである。

　三島が百閒を幻想作家として再定義するにあたり、解説のなかで次のように述べていることに注目しよう。

> お化けや幽霊を実際信じていたらしくて、文章の呪術的な力でそれらの影像を喚起することのできた泉鏡花のような作家と、百閒は同じ鬼気を描いても対蹠的な場所にいる。百閒の俳画風な鬼気は、いかにも粗い簡素なタッチで表現されているようでいて、その実、緻密きわまる計算と、名人の碁のような無駄のない的確きわまる言葉の置き方によって、醸し出されているのである。／常識で考えて、お化けや幽霊は、そこに現実の素材として存在するのではない。従ってお化けや幽霊を扱う作家は、現実の素材やまして思想や社会問題によりかかって作品を書くわけではない。彼が信ずべき素材は言葉だけであり、もし言葉が現実を保証しなければ、それは一篇の興味本位の物語になり、いちばん大切な鬼気もあらわれないから、言葉の現実喚起の力の重さと超現実超自然を喚起する力の重さとは、ほとんど同じことを意味することになる。

　三島の見方に従えば、超自然の世界を信じ、言葉が現実と超自然との霊媒《ミーディアム》であることを信じていた鏡花は、ひとえに〈言葉の想像力に思うさま身を委ね〉ることで苦もなく鬼気を表現し得た。しかし百閒の場合、飽くまで緻密な計算に基づいて慎重に言葉を配置し、言葉の効果だけで鬼気迫る世界を意志的に成立させたと言うのである。むろんこれは天才型と努力型というような資質の単純化ではなく、超自然の現実感に依拠して作品が書けた鏡花と、依拠できなかった百閒との根本的な世界観の相違を指摘しているものだろう。

　百閒の作品でお化けや幽霊が「現実」らしく成立しているのは、超自然自体への作家本人の信仰とは関わりなく、すべて言葉の力によるものだということである。〈言葉が現実を保証しなければ〉と三島が言うことの意味はそこにある。そして、このような発想の背景に、芸術を自然の模倣品《ミメーシス》とするプラトン流のイデア論を、「自然が芸術を模倣する」と言って逆立ちさせたオスカー・ワイルドの唯美主義の影響を指摘するのはたやすい。三島が『日本の文学』の解説で紙幅を費やして取り上げる百閒の作品も、要はこの図式によく当てはまるものが選ばれているのである。

「東京日記」は東京の街中を舞台とする二十三篇の小品を連ねた怪異幻想譚の集成であるが、最初に三島が言及するのは「その四」である。最終列車で東京駅に着いた「私」が、月の位置に違和感を覚えてよく見ると、あるべき場所に丸ビルがなくなっていた。翌日の昼間に見てもそこはやはり空地で、所々の水たまりにあめんぼうが浮いている。しかしさらに翌日訪ねると丸ビルは元通りで、周囲の様子にも何の異変もなかったという話である。

三島はこの作品について、〈初読後三十年ちかくもなるのに、丸ビルの前をとおるたびに、この作品（その四）の、丸ビルのあった辺りの地面に水溜りがあって、あめんぼうが飛んでいた、という描写が思い出され、その記憶のほうが本物で、現実の丸ビルのほうが幻影ではないか、と錯覚されることがある〉と述べている。現実に対する芸術の勝利を説く三島は、百閒が言葉で作り出した幻影がすでにもう一つの「現実」を形づくっていて、実在の世界に拮抗していると言いたいのである。

ところで、この唯美主義の図式をいったん差し置いて、作品が醸し出す鬼気の由来を検証してみるとどうだろうか。まずは何よりも、日常の裂け目から顔を出した異世界があまりにも平凡な風景である点に言いようのない無気味さがある。これがいかにも荒唐無稽な景色なら、かえって気の迷いや作り物として即座に否定できるものを、いたって平凡な景色であるがゆえに、こんな怪異なら遭遇してもおかしくない気にさせられてしまう。

しかも、何喰わぬ顔で現実の中にはめ込まれたその景色には、暗示的な意味など何もありはしない。だから、街を行く人々の注意をまるで惹きつけることもないのである。そして異状を認識できる者が自分しかいなければ、日常と信じていた世界の根拠そのものが崩れてしまう。このような状況は、作品の無気味さを倍加するものだろう。

そして最も恐ろしいのが、一度異界を見てしまった「私」の不可逆性である。日常は二日後に当たり前のように戻ってくるのだが、「私」の方はそうはいかない。いくら丸ビルが元通りでも、「私」は空地を見る前の「私」には二度と戻れないのである。異変の最中には丸ビルの事務所で働く人々の行き先を案じていたが、いざ日常に復してみると、〈水溜りの上を走つてゐたあめんぼうは何処へ行つたらう〉と気にし始めるのである。

このときすでに、「私」は二つの「現実」を生きている。というよりも、すでに空地の方が本来の状態と感じられる転倒を起こしているのであり、異界の側が「私」の立脚点になっているのである。作品の末尾に表白される寄る辺ない感想は、空地のあめんぼうの行方を案じたものではありながら、実際には取返しのつかない質的変容を起した「私」自身への漠たる不安を物語っているはずである。

三

思いもよらぬ異質さを引き受けた「私」を自分で持て余すという構図は、百閒小説の定番的なモチーフである。例えば第一小説集『冥途』に収録された初期作の「流木」(原題「蝦蟇口」『新小説』一九二一・四)は、蝦蟇口を拾って警察署へ届ける途中で出会った男にあやしまれ、釈明の余地もなく泥棒にされてしまうという日常からの理不尽な滑落を語っている。また、戦後の『実説艸平記』(一九五一・六、新潮社)に収録された作品「とほぼえ」(『小説新潮』一九五〇・一二)も、幽霊の度重なる来訪におびえる氷屋の亭主に疑いを持たれた主人公が、追いつめられて自分が死者であったことを自覚するという、この種の作品の白眉である。

『日本の文学』収録作に同工異曲の話を求めるなら「東京日記」の「その六」もそうである。友人に連れられて銀座の静かな路地裏のトンカツ屋に入って食べていると、表が雷雨になる頃から店内が客で混み始める。ひどい雷鳴に驚いて立ち上がった「私」がふと見わたすと、稲光に照らされた客はみな洋服姿の獣だったというのである。

この小説の恐怖感は、周囲の客が例外なく異形の者であったという発見の恐ろしさではない。そうではなく、見えない自分の顔もまた、他の客と同じように浅ましい獣になっているらしいということ、それに今まで気づかなかったことの悟りが、怖さの正体なのである。〈一緒に来た友達が人の顔ばかり見てゐるので、どうしたのかと思つたが、さつきから口も利かない〉という途中に置かれた一節が、この場合の布石として最大限の効果を発揮している。自己の不定形さに対する不安は、百閒が初期から追究し続けてきたテーマであり、自分では訳も分からず人面牛身の怪物になっていたという「件」のような変身譚も、この不安の土壌のなかから生まれてきたものと見てよいだろう。

ところが、百閒文学が提起するこの根源的な不安を、三島はことさらに回避しているように見えるのだ。もちろん紙幅の関係もあるだろうが、〈私にはいまだに怖いのは「その六」のトンカツ屋の挿話である〉と言いながら、その恐怖に踏み込んで行こうとしない。また「件」に関しても、〈カフカのメタモルフォーゼを思わせる名品で、宿命の怪物「件」に化身した作者の目が、不透明で不決断な社会と相対する構図は、後年の「磯辺の松」の遠い先蹤のようにも思われる〉という簡単なコメントを加えるだけなのである。

この変身譚のことで参考になるのは、鏡花に関して澁澤龍彦と交わした次の対話である。

三島　鏡花で面白いと思うのは、デフォームすることね。人間を変えちゃう。トランスフィギュレーション……。

澁澤　メタモルフォース（変性）ですか。

三島　「高野聖」のなんかのをどう思いますか。

澁澤　アニミズムとかよく言われるけれども……動物に変わっちゃうのは、どうなんだろうな。

三島　一種の願望だろう。主役のお坊さんは変わらせられないで、助かっちゃうんだけれども、鏡花自身は、あの美女に駆使される馬だとか、こうもりだとかにいろいろ変わっているんだな。

澁澤　ジャン・ジュネなんかもそうだな。変身する文学と変身しない文学というのがあるかもしれないな。三島さんは変身しないですよ。

三島　僕は絶対に形じゃないと嫌なんだ。筋肉だって形だろう。なんでもちゃんと形がなければ嫌なんだ。（「鏡花の魅力」『日本の文学』第四巻附録、一九六九・一）

ここに見られるのは、不定形な曖昧さを斥けようとする三島の根本的な態度であろう。ある種の事件に、しばしば他者による干渉がからみ、自己存在の定義が完全に変容してしまう恐怖を百閒は取りつかれたように描き続けた。だが、三島はその典型的な作例をいくつか取り上げながら、「私」の曖昧さという肝腎なテーマから目をそむけているのである。それどころか「件」については、〈不透明で不決断〉なのは〈社会〉の方であり、〈宿命の怪物〉である〈件〉はそのような〈社会〉を告発する側にあるかのような前提で作品を語っている。これは「件」論としてはいささか破格の印象をぬぐえない。だが、この評価からは、三島の目が「私」の分析という方向には向かわず、絶えず「私」の外側の世界に向かって見開かれていたことを知ることができる。

四

改めて三島による百閒論の課題を繰り返すなら、それは幻想を現実と等価のものとして対決させることができる言語芸術の効用を確かめることにあった。これに関して三島は、「東京日記」の「その一」を例に、百閒の表現技巧を詳しく分析している。それは一種の創作技術論としてすぐれた内容をそなえたものだが、そのなかにも三島の世界観がよく表れている。

百閒の話とは次のようなものである。ある雨の日の夕方、市電が故障して日比谷の交叉点に降ろされた「私」は、足許がふらふらする様な感覚に襲われ、白光りのする皇居の濠の水が激しく動揺しているのに気づく。そこから牛の胴体のように巨大な鰻が道に這い出して来たので、慌てて有楽町のガード下まで逃げてくると、あたり一面に湧き出していた二三寸の小さな鰻が、壁伝いに建物の窓から中へと這いこんでいくところが見えたという。

　これだけの話だが、三島はまず、序盤に登場する〈雨がひどく降つてゐるのだけれど、何となく落ちて来る滴に締まりがない様で〉という一節に注目する。〈故意にあいまいにされた、故意に持って廻られた言葉づかい〉によって語られるこの一行は、〈一方から見ると、単なる現実の雨の感覚的描写のようでもあり、他方から見ると、異常事の予兆のようでもあるから、この一行がいわば、現実と超現実の間の橋をなしているのである〉と指摘している。

　異世界との接点を言葉でどう作るかという問題は、柳田国男の『遠野物語』（一九一〇・六、自費出版）の一部を例にして、三島が小説の本質を論じた『小説とは何か』（一九七二・三、新潮社）の見方とほぼ一致する。柳田の原話には、通夜を行っていた遺族の前に、死者の老婆が生前の姿そのままで裏口から入ってくる怪異が語られているが、その老婆が囲炉裏端を通り抜ける際、そばに置いてあった丸い炭取（炭籠）が着物の裾にふれてくるくる廻ったという印象的な描写がある。三島はこれを読んで、〈「あ、ここに小説があつた」と三嘆これ久しうした〉と言う。

> ここがこの短かい怪異譚の焦点であり、日常性と怪異との疑ひやうのない接点である。（略）この瞬間に、われわれの現実そのものが完全に震撼されたのである。（略）亡霊の出現の段階では、現実と超現実は併存してゐる。しかし炭取の廻転によつて、超現実が現実を犯し、幻覚と考へる可能性は根絶され、ここに認識世界は逆転して、幽霊のはうが「現実」になつてしまつたからである。幽霊がわれわれの現実世界の物理法則に従ひ、単なる無機物にすぎぬ炭取に物理的力を及ぼしてしまつたからには、すべてが主観から生じたといふ気休めはもはや許されない。かくて幽霊の実在は証明されたのである。
>
> （「小説とは何か」九、『波』一九七〇・一）

三島はつけ加えて、〈小説がもともと「まことらしさ」の要請に発したジャンルである以上、そこにはこのやうな、現実を震撼させることによつて幽霊（すなはち言葉）を現実化するところの根源的な力が備はつてゐなければならない〉と述べている。「小説」とは、現実を飲み込むほどリアルな超現実を作り出す言葉の世界なのだという三島の主張がここにもある。その例として取り上げた柳田の怪談の場合、死人を幽霊として登場させるだけでは単に主観の迷い（幻覚）と一蹴できてしまうが、炭取の描写があるおかげで、幽霊は一気に客観化され、その実在感に圧倒的な重量が付加されるというのである。

　本当だろうか、と少し立ち止まって考えたくなる。回転する炭取の映像の方は幻覚でないと、なぜ断言できるのだろう。恐怖の根源の説明としても、はたしてこれは適切なのか。むしろより重要と思われるのは、三島が少し触れているように、日常領域に当たり前に場所を占め、ふだんは注意にすら値しない炭取の〈確乎たる日常性〉の方である。あまりにも平凡なこの什器が幽霊のアクションに呼応し、一瞬のうちに存在感《プレゼンス》を極大化させる意外性と、日常風景の一角が全く不意打ちに異界へと持ち去られてしまう領域侵犯への危機感。これらが人々の日常性のバランス感覚に与える打撃の大きさを捉えた方が、炭取の実在性を根拠とする説明よりずっと納得しやすいものになったのではないだろうか。

　つまり、この場面が喚起する恐怖の由来とは、日常性の安定した像に亀裂が走る崩壊感覚であると思われる。その点で、別室にいた狂女が〈おばあさんが来た〉と叫ぶ結末の役割が、きわめて重要性を帯びてくる。狂気が日常感覚のバランス失調を意味するものであるならば、この挿話は、正常な心が狂女の住まう世界を垣間見るという、一瞬の危うい体験を描くものと理解することも十分に可能であろう。

　だが、そういう読み方をしない、ということが三島の問題として興味深いのである。狂女の叫びを三島が度外視している事実は、彼の物語認知の偏向性を象徴的に示している。「私」なるものの揺るぎなさに、三島はどこまでもこだわっていたらしい。これには恐らく理由がある。小説を〈「自由意志」といふ信仰の極限的実験〉とも述べている三島にとって、自由意志を持たず偶然性に支配された狂気は、小説とは馴染みにくい素材だとする一途な考え方を持っていたからに違いない（「小説とは何か」十三、『波』一九七〇・九）。

　だからいわゆる怪談を扱っても、観察する主体の認知の揺らぎやその自覚にかかわる認識論は、三島の俎上にほとんど載せられることがない。そのかわり、現実と非現実との接点というような世界構造の解読や、言語芸術の自立性の根拠はどこにあるかといった問題へと、三島の関心は向かっていかざるを得ないのである。

　再び「東京日記」の「その一」の分析に戻っていうならば、〈何だか足許がふらふらする様な気持になつた〉という〈感覚の混乱〉に触れはするものの、三島はそれを崩壊感覚とは捉えず、やや強引に〈日常的表現〉とする理解を示し、〈信号燈の青と赤が、大きな鰻の濡れた胴体をぎらぎらと照らした〉という微細な視覚描写の具体性の見事さに焦点を当てていく。怪異の実在を保証する言語の力がそこにあることを示しているのである。

この点からすると、三島が「磯辺の松」に感嘆するのは逆説的な意味でやはり自然なことだったと見ることができよう。三木さんという年若い女弟子との淡い心の交流を軸として、盲目の撿挍の生活感覚に一人称で肉薄したこの作品には、当然のことながら視覚描写の入り込む余地がない。そのような制約のなかで、音や匂い、手触りなど形にならない感覚そのものの確かな存在感を、百閒は言葉でつかみとって読者の前にならべていくのである。弾く手にしたがってうねりをなし、熱を帯びていく琴の音の描写などは、三島が言う通りの絶品である。通常なら実在性の表現に最も有効なはずの視覚描写を禁じ手にしておいて、これほどの実感を表現しようとする試みは非凡であり、恋情の抑制的表現に感心する三島が言うのと同じ意味で、ここにもストイシズムの極致がある。

そして、〈うつつにその人がゐるとしても、その人の姿も顔も見る事は出来ないのであるから、ゐない人を見るつもりになつても同じ事ではないか〉と撿挍に語らせることで、死んだ三木さんの非在を実在に変えてしまうこの作品の論理も、現実世界を凌駕する幻想世界の芸術表現に最後まで期待し続けた三島が、確かに惚れ込むに値するものであった。まったくこれは、三島ごのみの要素が凝縮された作品なのである。

（実践女子大学文学部教授）

附記　百閒の小説作品と三島の解説は、『日本の文学』第三十四巻（一九七〇・六、中央公論社）から引用した。その他の引用は、『決定版三島由紀夫全集』および本文中に示した文献のものを用いた。ただし漢字は常用漢字に改めた。

特集　三島由紀夫・『作家論』

三島由紀夫による稲垣足穂入門

――「男性の秘密」へのいざない――

高橋孝次

一

三島由紀夫は一九六〇年代にはじまる稲垣足穂の再評価を先導した最大の存在である。その最たるものの一つが、『日本の文学』（全八〇巻、中央公論社）における第三四巻（一九七〇・六）での、編集委員としての仕事であろう。三島は、自らに割り当てられた第六九巻（一九六五・一）のほか、川端康成の第三八巻（一九六四・三）、森鷗外の第二巻（一九六六・一）、林房雄・武田麟太郎・島木健作の第四〇巻（一九六八・八）、尾崎紅葉・泉鏡花の第四巻（一九六九・二）、尾崎一雄・外村繁・上林暁の第五二巻（一九六九・一二）を担当し、その掉尾を飾る形で、内田百閒・牧野信一・稲垣足穂の第三四巻を手掛けている。

三島は以前から愛読していた足穂の評価に、かなりの熱意をもって関わった。就中、『日本の文学』での三島による解説（「稲垣足穂」以下同様に表記）と収録作品の編集プラン、附録所載の渋沢竜彦との対談「タルホの世界」には、とりわけ強い思い入れが感じられる。

そこであらためて「稲垣足穂」を、収載された『作家論』（一九七〇・一〇、中央公論社）の他の作家論のなかに置いて引き比べてみると、やはり、毛色の違いがはっきりと感じられる。中公文庫版（一九七四・六）の解説で佐伯彰一は、「三島は終始批評家的な姿勢をくずすことなく語りつづけている」としながら、そこに不満をもらし、谷崎を引き合いに出して次のように評す。

> ことさらにとぎすまされた鋭利さは、刃こぼれしやすいばかりでなく、読者に対する説得力においても、とかく切りこみの姿勢ばかりが目立ちがちである。しかし他方、『作家論』における三島の鋭いいわばごり押しの論理性を、ただそれだけのものに終らせていな

いのは、対象たる作品の細部に対するじつに行きとどいた目くばり、新鮮な着眼である。（中略）おのずと目を洗われるような見事な細部への着眼の実例は本書のいたる所に見出される。

頷かれる指摘である一方で、「稲垣足穂」での筆法がこれに当てはまっているとはいいがたい。「稲垣足穂」のなかで三島は、足穂を「巨大な哲学的毛脛」と呼び、「真に男性の秘密を売った最初の文学者」（傍点引用者）として、「昭和文学に天才と名付け得るまことに数少ない一人」と筆をきわめて称讃している。しかしここでその内実が論理的に説明されることはない。むしろエッセイ的な筆致で、論理的な説明を回避してすらいる。三島は「九十九パーセントの人間は、足穂を読んでも、／「へえ、変った面白いことを言う人だね」と思っただけで忘れてしまい、常識の混迷のハンモックへ、午寝をしに帰ってゆくのである」とか、先の渋沢との対談でも「わからないでいいんじゃないですか、永久にわからないで。稲垣という作家がわかるということは、なんか気味の悪いことですよ」とさえ洩す。

さらには、「足穂の文学について語ろうとすると、何十枚をかけても紙幅が足りない気がするから、私の目にとまった足穂論の中で、もっともみごとな透徹した要約をなしとげた種村季弘氏の一文を引用しよう」と批評の核心を種村（「美少年誘拐魔足穂大菩薩あるいはホムンクルス製造法」『南北』一九六八・九）にゆだねてしまう。そして、佐伯が指摘した「作品の細部」にいたっては、「私が註するまでもな」いと、足穂の簡単な作品メモに筆を譲って、あっさりと解説を終えるのである。ここには論理の明晰や作品細部への気配りは見あたらない。しかし、それでもこの解説には、三島が足穂に仮託してきた問題への道標が凝集しており、足穂文学の再評価に大きな威力をもったと思われる。

そこで本論考では、三島が「稲垣足穂」において試みた解説の方法を見定めた上で、それによって三島は読者をどこへいざなおうとしたのか、そこに三島由紀夫のいかなる足穂文学への理解が託されているか、そして三島のいう「男性の秘密」とは何だったのか、これらの疑問にいくつかの見通しを立ててみたい。

二

三島の「稲垣足穂」のなかには、ほかにも特徴的な叙述が見出せる。

足穂の愛読者は、一見とりとめのない、良家の白い折襟のお坊ちゃんのようにどこかお行儀のいい、永遠に少年的な文体のかげにひそむ、菫いろの夕空のノスタルジーを、あの永遠なものへの男性特有の郷愁を、夕方の焚火の匂いにヘリオトロープの匂いのまじったような、なかなか家へ帰って来ない少年の匂いを、どことなくハイカラでどことなく古風なユーモアを、（飛行機を「ひぎょうき」と訓ずる謡の師匠のおかしさなど、今でも何度でも思い出される）、何かしら充たされぬ思いのそこはかとない充足を、いささかも感傷の湿気を伴わぬ哀愁を、言葉の意味においてもっとも本質的に「抒情的なるもの」を愛しているのである。

ワンセンテンスのあいだに、修飾節のつづら折りで偏愛の対象が羅列される行文が、それである。「足穂の愛読者」ならそれと気づく、どこかで見た文体である。こころみに、『少年愛の美学』（一九六八・五、徳間書店）における「A感覚」についての同工の叙述を引いてみよう。

A感覚は「ダダ」である。白い、何も印刷されていない童話のページである。それが忽ち色硝子、殊に子供らが好む深紅色のガラスを通して眺めた外景に一変する。次の瞬間には、ガスの火光を受けたサーカスの天幕に映っている馬の影になる。浴槽に落っこちたゴム風船であり、少年が月夜の原ッぱで失くしたアートペーパ［ー］の三角帽子であり、暗夜に電車のポールの先から零れ落ちていた緑色の火花のしずくであり、ある夜、赤と緑の弾道を曳いて星空に馳け上ったまま行方知れずになっているロケットであり、糸でぶら下がっている、煙草の丸罐の封だった錫板の月であり、あいている二階の窓を通していま一つの窓枠越しに見えていた月であり、夜半過ぎに湖畔の都会の上天を過ぎて行った小さな流星であり、桃星の周囲を人知れずに旋っている金色のスプートニクであり、土星の鍔の表面に落ちていた本体のかそけき陰影でもある。（一九二〜三頁）

こうしたオブジェを羅列する足穂的語りは、さまざまなバリエーションを含め、足穂のテクストに頻出する。一種ペダントな語りであるが、ひとつひとつのパッセージの脈絡は不明瞭でも、共感できる素地を持つ、選ばれた（と自認する）読者の個々の心的イメージのなかでは、それらが発するメタファーの断片同士が相互にアナロジーを構成し、ある一定の雰囲気を了解させる、そうした機能をもつ筆法である[1]。三島はいわば、「稲垣足穂」のなかでこうした足穂的な語りを演じているのである。とすれば、論理的説明を避け、読者をあえて限定し、叙述に引用を多用して構成し、三島のいう「男性の秘密」とは何か、という意味の空白を、論理でなく感性的に了解するよういざなう足穂的語りが、三島のなかで意識されていたと見ることは十分に可能だろう。もちろん、三島の叙述は全集の解説の構成を完全に崩してはおらず、あくまで部分的な応用にとどまるものではある。また、三島がその不明瞭をそのまま放置しているわけでもない。三島がこの叙述によって周到に読者をいざなう先には、苦心した編集プランがある。

『日本の文学』の七篇の作品ラインナップは、当時としても、また現在から見ても、独特なものといえる。これについて三島は次のように書いている。

この選択には、いわば音楽的な顧慮が働いている。「フェヴァリット」は軽やかな序曲である。「地球」と「白昼見」は、足穂の身辺的な回想に詩的哲学的考察がまじった独自な型式が、「弥勒」にいたって一つの頂点を形づくるための用意である。「誘われ行きし夜」は、「山ン本五郎左衛門只今退散仕る」を読むための、背景的知識を養うために重要である。「山ン本……」は古物語の書き換えであるが、足穂文学の中心主題を暗示するきわめて大切なカタストロフによって、みごとに自家薬籠中のものになっている。かくて「A感覚とV感覚」の論理的建築物へ入ってゆくのである。

選ばれた諸作品は、いずれも何ものかへ向って離脱している。建築におけるバロックを飛翔する形式だとすれば、これら諸作は真の意味でバロック的なものであろう。「美のはかなさ」は各所に溢れ、われわれはどこかへ確実に「誘われて」行くのである。

これらの作品の配列はあたかもひと連なりの音楽のように構想され、それらの各所に、読者をいずこかへ「飛翔」させる「美のはかなさ」がほのめいて、部分と全体が響き合うように構成されている。個別の作品としてのみでなく、全体からも感じとるように「いざなう」わけである。

「初期の有名な作品である「一千一秒物語」や「黄漠奇聞」もわざと逸した」理由を三島は「若き日の足穂の軽金属のような軽みが、これを読む現代の青少年の軽薄な心に、あんまり癒着しすぎはせぬかと怖れた」というが、足穂の詩的な文学世界を象徴する初期作品群をあえて三島がオミットしたのは、『一千一秒物語』（一九六九・一二、新潮文庫）との重複を避ける意味と同時に、おおかたとは異なる上級編の読み方を提示せんがためとも読める。

例えば「フェヴァリット」（『新潮』一九三八・八）に三島は初期作品を代表させているが、実際は明石出奔後となる三〇代後半の中期の作で、『彼等（THEY）』（櫻井書店、一九四八・一二）に連なる、堀辰雄の「燃ゆる頬」にインスパイアされた少年モノというべきである。先に「足穂の愛読者」の偏愛の対象として挙げた「良家の白い折襟のお坊ちゃん」らが登場するのも本作で、「いささか私の趣味に偏したきらいがないではない」と三島も自ら「愛読者」として弁明している。

そのあとに、「地球」（『新潮』一九四〇・五）、「白昼見」（初出、前半部のみ『新潮』一九四八・二）、「弥勒」（初出、後半部のみ『新潮』一九四〇・一一）というある特徴を持った「哲学小説」（「タルホの世界」）が選定されているのも注目される。また、そこから「誘われ行きし夜」（『作家』一九六五・七）、「山ン本五郎左衛門只今退散仕る」（『南北』一九六八・八）という「足穂文学の中心主題を暗示する」、「天狗の話」（「タルホの世界」）へ接続されるが、後述のように、なぜ「天狗の話」なのかという点も三島の目論みとして見逃せないだろう。そして足穂独自の存在論的な性愛論である「A感覚とV感覚」（『群像』一九五四・七〜九）で、最後に「形而上学」（「タルホの世界」）の世界へと読者の魂を「飛翔」させようというプランであり、ここに「男性の秘密」の核心への道が暗示される。

　たとえば矢川澄子は、のちに「幻想としてのA感覚―ある男流文学論」（『日本幻想文学集成』第二二巻所収、国書刊行会、一九九三・八）で対談「タルホの世界」を引き、「肝腎の「男性の秘密」なるものは一向に現前してきてくれない」として、三島が解説中で引用した種村季弘の文章を示した上で、「そのあたりの解明は非力なこの身のとてもおよぶところではありません」と、その捉えがたさに匙を投げている。もちろん、そこには渋沢や三島、種村ら「男性」の批評家によって仮構された「秘密」の大伽藍に対する批判の色が滲んでいる。しかしそれでもなお、三島がある切実さをもって足穂の文学のうちに見出し、仮託した「男性の秘密」なるものの内実を問うことには、意味があろう。それはいわば、足穂の文学と三島の文学の交錯面であり、両者の特質を照らし出す光源になりうるからである。

　ここからは、三島の編集プランに仮託されたものは何だったのか、三島の足穂評をたどることで検証してみたい。

三

三島最初の足穂評は、生前未発表の「クナアベンリーベ」である。「稲垣足穂、日本で唯一の天才。」と始まるこの批評は、一九四八年後半頃、中井英夫らが担った第十四次『新思潮』向けに、大蔵省を辞したばかりの三島の自宅で、口述筆記で椿實がまとめ、三島が補訂した稲垣足穂論である。[2] 戦後旺盛な執筆を行なっていたにせよ、当時この水準で足穂文学を味読していた読者はおそらく三島をおいて他には絶無であっただろう。ここでは『日本の文学』の編集プランに関連する箇所に絞って確認しておこう。

　まず「今まで、一番立派な、一番な作品は、「弥勒」だと思ふ。あすこに出てゐる「悟り」悟達の思想は、ドイツだつたら、フィヒネルの影響からもきてるんだらう」と書き出される。実は、先の三つの「哲学小説」にはすべて、グスタフ・フェヒナーの思想が読み取れる。仔細な検証は他の機会に譲らざるを得ないが、足穂自身認めるとおり、「地球」と「白昼見」は、いずれもタイトルがフェヒナーの所説を暗示しており、小説本文もその所説によって閉じられる。そして三島は『弥勒』（小山書店、一九四六・八）にもまたフェヒナーを見ている。[3] フェヒナーは精神物理学の創始者として知られ、精神的感覚と物質的感覚の量的関係に注目して、心理学に新たな視点をもたらしたが、思想家としても著述を残している。フェヒナーはあらゆる物質の内に精神の痕跡を見出し、我々の意識がどこから来てどこへ行くか、すなわち、個々の意識はより大きな意識のうちから生まれ、再び還っていき消滅と再生を繰り返すのだ、と説く。生前の精神が死後もすべて維持されるわけではないが、完全に無になるのでもなく、超個体的な世界に残存し続ける、というのである[4]。あらゆる物質の内にも精神は遍在し、それらは生滅しつつ、より高次の秩序のうちに還るときを待っている、というフェヒナーの自他の区別を相対化する認識・死生観は、「弥勒」の結末部の遍在する菩薩に重なる。

　それならば、あの耳飾りと宝冠をつけた銅版刷の菩薩も、二十世紀に立ち返っているのではなかろうか、と彼は考えてみた。ではそれはどこにいる？　細く新月形に光った金星の尖端に、木星の表面をじりじりと冬の蠅のように匍って行く衛星イオの陰影のなかに、メタンの風吹きアセチレンの波立ち騒ぐ海王星の懸崖上に。（中略）そうしてまたこう考えている自分の大脳の中にも、おそらく数ミクロンの光束となって納まっている？　ここにおいて江美留は悟った。婆羅門の子、その名は阿逸多、今から五十六億七千万年の後、竜華樹下において成道して、先の釈迦牟尼仏の説法に漏れた衆生を済度すべき使命を托された者は、まさにこの自分でなければならないと。

「弥勒」の主人公江美留は、「星の運行や雲の色彩を眺めるように生まれついた」審美的な芸術家であり、生活感覚を持てず、信頼関係も築けず、窮乏の極みで自死を意識している。「弥勒」の究極の主題は、芸術家と自殺の問題である。そしてこの「悟り」は、フェヒナーを踏まえて、自らが自らでありながら、同時に弥勒菩薩でもあり得る、という究極の現状肯定を示す。これは、急いで死ぬには及ばない、という死の相対化の契機となり、死の誘惑から芸術家としての自己を解放する、足穂の中期自伝小説群の白眉となった。

　そして三島は「クナアベンリーベ」において、次のように「悟り」を評している。

だから、稲垣さんの戦ひは、詩の内部に対する戦ひ＝日本的な自己否定として出てきたし、（中略）戦ひの相手（俗物）がデクノバウだと悟つたそのとき、本当の詩が生まれ、日本に稲垣さんにとつての、本当の現実世界が生まれてきた。（中略）

　さういふ稲垣さんこそ、「詩人にとつて、現実とはどういふものであるか」といふことを、非常に明白に表現してきた作家である。それはネルヴァル以来の問題で、ロマン派的な彼が、矛盾のままで死んだのに対し、稲垣さんは、広い宇宙的感覚のある、現実世界へ、イカルスのやうに翔びたつた。その時、地球は、稲垣さんの足下に、まるで林檎位の小ささにちぢまつてしまつて、稲垣さんのもつとも愛する、美しい人間だの、物なんかは、まるで星座のやうに、現実世界の上に広がつてゆく。だから、稲垣さんの人物は、重力に支配されてゐない。

ここで三島が足穂に仮託しているのは、「詩人にとつて、現実とはどういふものであるか」という問題である。「弥勒」において、審美的な主人公（＝詩人）は、俗物的な生活世界のただなかで自らの存在を否定されるが、「悟り」＝認識の転換によって生活世界は相対的に仮象となり、現実世界はもはやフェヒナー的な宇宙的視点から鳥瞰されることで、個別の生活や死の枷から解き放たれ、星座のような審美的対象へと変容する。それが可能なのは、足穂が「悲劇的な詩人ではなくて、本質的にエピクロスの徒」、すなわち「「生活に夢を抱いた」こと」がない者だからだと三島は考える。つまり、足穂には現実への執着が稀薄であり、三島が『仮面の告白』（一九四九・一一、河出書房）で定義したような「悲劇的なもの」は生ぜず、「彼の伝記は、いつでもカリカチュール」なのである。それでは「肉体」を書けない、と三島は不満を述べるが、「詩人にとっての現実」という問題を極端な形で体現する存在として、三島は足穂を「天才」と観ずるのである。

「弥勒」は芸術家小説ともいえるが、フェヒナーの所説を摂取し、自他の区別への執着やナルシシズムの陥穽から離脱しようとした足穂の、当時の芸術観をよく表現している文章をここで示しておこう。

只、描き書かんとする念願さへ持つてゐるならば、此処に迸る永遠なるものゝ火花は、――君の及ぼすこの無形なる波動は、必ずや君に似たる四辺の胸奥に伝はるに相違ない。かくて彼を動かし、君の夢たりしものはキャッチされ、人類の宝とかぞへられるに至るであらう。芸術は万人の為のものなり。自己の名利の為の材料にそれを扱つて、何が面白かろうぞ。（「作家精神」『国民新聞』一九四〇・一一・二六、二七）

三島にとって、足穂の文学はついに現実に到り得ないものだったが、一連の「哲学小説」が示すものは、いわば、死への欲望を退け、自己の「肉体」を超脱する視点を得た芸術家＝詩人＝イカルスの可能性といえるかもしれない。

四

「小説とは何か」（第三回、第四回、『波』一九六八・一〇、一九六九・一）で三島は、まず「山ン本五郎左衛門只今退散仕る」（『南北』一九六八・八）を俎上にあげ、「これこそ、疑いようのない傑作」と絶讃して精細に論評している。三島はここで「言葉というものを信じている」足穂であるからこそ、「小説の本質」である「夢と現実、幻想と事実との、言語による完全な等質性」を実現できるとして、フェヒナー的境地に由来する足穂文学の特質を確認している。「稲垣足穂」のなかでも「山ン本五郎左衛門只今退散仕る」は「古物語の書き換えであるが、足穂文学の中心主題を暗示するきわめて大切なカタストロフによって、みごとに自家薬籠中のものになっている」と言及されている。[5]『日本の文学』では「誘われ行きし夜」が前に置かれることで、謡曲「花月」や平田篤胤の『仙境異聞』（一八二二）の天狗に拐かされる少年の話と重ねられ、天狗的存在と豪傑少年の一夜の邂逅は、少年愛を暗示するものへと転移するよう仕組まれている。ここで三島が読者に示唆しているのは、「哲学的な愛の物語」、すなわち、エロスの問題である。それはつまり、個別の「肉体」にも、現実世界にも執着をもたないかに見えた足穂の文体において、エロスがどのように描かれるか、ということである。「稲垣足穂」において三島は「一度それに触れた者は、もはや愛された者になり、天狗に愛された少年のように、永遠にその記憶から脱け出すことはできない」と足穂文学の魅力を語っていた。「山ン本五郎左衛門只今退散仕る」についても、引き続く妖怪騒動は天狗的存在による少年への愛の顕れで、それが成就しないことで騒動の日々が少年のうちに愛惜の余韻として幽かに残る、というイロニッシュな形での「哲学的な愛の物語」であると三島は読みといている。[6]

そして最後に「A感覚とV感覚」が配されているのは、そこにこそ「男性の秘密」の内奥が示されているからだが、ここで確認しておきたいのは、第一回日本文学大賞における選評「生と芸術の真相」（『新潮』、一九六九・六）である。新潮社主催の第一回日本文学大賞の銓衡委員として稲垣足穂の『少年愛の美学』を強力に推輓することで授賞を実現し、ひとり讃辞をおくったのが三島であり、これこそ再評価を決定づけたものであった。ここで三島はのちに「男性の秘密」と彼が呼ぶものをして、「生と芸術の真相」と呼んでいる。

「『優美』と『死』とは互いに追いつ追われつしている。――街頭の人々のように、――落葉を促す新芽のように、――今日を追いやる明日のように、それは絶えず回帰している。」（「少年愛の美学」百六十二頁）このやうな最も透徹した詩句をさりげなく行文の間にはさんでゐる稲垣足穂氏の「少年愛の美学」には、生と芸術の真相が残る隈なく語られてゐる。しかもその真相は高貴に保たれ、いささかも汚されてゐない。このやうな真相こそ、詩の核心だからである。

では、三島はどこに「詩の核心」をみたのか、引用された前後を補って確認してみよう。

　人は「死」によって彼のお洒落を全うする。たとえどんな死方にせよ、死によって幾許かの色気と優雅を獲得しない者はない。その完結もしかし束の間である。優美への候補者はあとに続いて、いつ果てるのか見当もつかないからだ。**「優美」と「死」とは互いに追いつ追われつしている。**――**街頭の人々のように、**――**落葉を促す新芽のように、**――**今日を追いやる明日のように、それは絶えず回帰している。**美少年とは、永劫転化の只中における素粒子的一閃である。通りすがりに小路の奥に見た夕焼であって、五分間あとの帰途にはすでに残照に変っている。それはしかし一定の率の下に循環している。昔の薔薇紅は取戻すに由ないが、他日のグローリーは期待してよい。（中略）ある日盗み見した白いうなじが、昔のそれと同じであるように、特定の花は散っても花そのものは永遠である。「個々の少年」は過ぎて行く。「少年としての少年」は、永遠の現在のうすら明りの中で、級長めいた微笑を泛べている。（太字引用者）

　これは足穂が『葉隠』を引きながら示した解説である。「少年」の姿を「永遠の現在のうすら明りの中」に見るとき、足穂の「美」ははかない一瞬に属しながら絶えず回帰する「一閃」である。死の特権性は相対化され、フェヒナーから示唆される永劫回帰によって、個々の肉体はいつかの影となり、芸術家は郷愁を通じてそれを感得し、その瞬間に立ち会うチャンスを与えられた存在である。そして美の理想は、自らの失われた少年期のナルシシズムとして内部に折り畳まれることで、常に不可能性をともなう少年愛の規範が示されるのである。このとき、三島のいう「男性」は、男性一般ではなく、すでに自らの幼少期のナルシシズムから疎外されたことを知る芸術家（詩人）を指すだろう。あらためて、三島の「稲垣足穂」の一節を引いておこう。

　足穂は歴史と文化の裂け目に指をさし入れてピリビリと引き裂いてしまい、そこにのぞけるものは白光に充ちた天空だけであることを証明した。だがこの虚無は何という誘惑的な甘味に充ち、香気馥郁としていることだろう。足穂は実に「弥勒」になったのであるから、この聖者を前にして、われわれは人間であることの誇りを回復することさえできる。世間や俗物がどうあろうと、歴史や文化の中へ埋没する決意をした者が、実はもっとも飛翔する人間になる、という秘密を学んだのであるから。

「歴史や文化の中へ埋没する決意をした者が、実はもっとも飛翔する人間になる」とは、認識の転換に基づいている。ひとは本来、絶え間なく生滅する宇宙の、永劫転化の流れの只中に浮かぶ素粒子で、世界を一瞬瞥見し得るだけの存在に過ぎない。そしてその世界もまた、過ぎ去りしものの残影でしかない。ただ郷愁を感得し、それと理解できた者のみが、ここに居ながらにして永劫の流れの中空を飛翔する存在でありうるのである。三島はつねに足穂に「飛翔」のイメージを重ねてきた。菩薩も芸術家も天狗も、そして「男性」も、いずれも中空で蠕動するように天上や大地を焦がれる気持ちをしりぞけ、「存在学的努力」（「天狗道」[7]）を払うことで、ようやく飛翔しつづける中間者的存在なのである。

　三島由紀夫による上級者向け稲垣足穂入門を解説する紙幅は尽きてしまったが、足穂も三島を批評家として高く評価していた。ただ、芸術家の自殺を否定した足穂は、三島の死を厳しく批判した。「ナルシシズムは芸術の母胎であるが、由紀夫さんの場合はこれが内面化されたのでなくて、外形的に伸び放題になってしまったのである。彼の書くものには郷愁が欠けている」（稲垣足穂「三島ぼし堕つ」『潮』一九七一・二）と評して、そのために「いつも死に追い付こう追い付こうと焦って」「我から死に飛び付いた」と断じる。ここまで見てきたように、こうした理路も三島は先刻承知のはずだった。「十月二日には人を介して、「イナガキ文学では初期のヒコーキと取組む部分以外は、自分は認めない」と云ってよこした。」（「三島ぼし堕つ」前掲）とも足穂は証言する。言うまでもなく「初期のヒコーキ」は、足穂にとって、墜落し大破することで少年の心をさらった、永遠の死のオブジェであった。

　三島の最後の足穂評とアンソロジストとしての仕事は、死後刊行の『New Writing in Japan』（Penguin Books、一九七二・一二）である。そこで三島は足穂の「イカルス」（「カルト・ブランシュ」一九四〇・九）を巻頭に置き、「*Icarus* is a short piece which comes from Inagaki's early period. It is an excellent example of his very personal humour and pathos, his nostalgia, and a poetic fatalism highly reminiscent of Baudelaire' s *L' Albatros*.」（「Introduction」）、つまり、「イカルス」をボードレールの「アホウドリ」（『悪の華』一八六一）に喩えている。「アホウドリ」は、大きな翼を持つ海の王者も、陸においてはいかに無様かをうたい、その姿を詩人の姿と重ねた詩である。これに対し、足穂の「イカルス」は、夢を素材としたシュルレアリスティックな小品である。耳障りに羽ばたく物体を叩き落とすと、それは水っぽい折詰で、なかには臭い海藻が詰まっている。それをひらくと奥に鼠か泥鰌のようなものが入った奇妙な生物だったという他愛のないものだが、三島はつまり、この無機物と一体化した、グロテスクな飛翔する生物を「詩人」と同一視するわけである。三島は

『太陽と鉄』（一九六八・一〇、講談社）の最後に天空へと焦がれる「イカロス」という詩を置いたが、その結末を配置し直すかのように、飛翔する者のグロテスクな肉体を地に叩きつけたのである。

三島と足穂は能楽や同性愛、存在論など数多くの主題を共有していたがゆえか、互いに深く理解しながら、相容れぬ反撥を伏在させていたともいえる。本稿はその一端を検証したに過ぎないが、二者の交錯面は、互いの文学の特質を照射しあう貴重な光源ともなるだろう。

（帝京平成大学専任講師）

注1　稲垣足穂のこうした感性的了解を読者に求める特徴的な語りについては、拙稿「『少年愛の美学』の読書論的研究—念者としての語り—」（千葉大学大学院人文社会科学研究科『パフォーマンスの民族誌的研究』一四四集、二〇〇八・二）で具体的に検証している。

2　椿實「三島由紀夫の未発表原稿」（『うえの』一九七二・五）ではじめて公表。『決定版三島由紀夫全集』第二十七巻所収（新潮社、二〇〇三年二月一〇日）。

3　足穂におけるフェヒナー思想の受容については福元圭太「ライプチヒのフェヒネル—グスタフ・テオドール・フェヒナーの系譜（9）—」（『かいろす』五六号、二〇一八・一一）に至当な分析があり、多大な示唆をうけた。

4　岩渕輝「グスタフ・フェヒナーの生命思想—精神物理学との関わりにおいて」（『明治大学教養論集』四一六号、二〇〇七・一）参照。

5　拙稿「「山ン本五郎左衛門只今退散仕る」論—三島由紀夫の「妖怪教育」」（『千葉大学人文研究』第三七号、二〇〇八・三）で、三島の批評について検証した。

6　「誘われ行きし夜」に先だって、三島は「天狗道」（「文學界」一九六四・七）を書いている。ここで「天狗」は「芸術家」に擬されており、ハイデッガーの実存論的分析を応用してその存在が検討される。そして足穂は「鼻高天狗はニセ天狗」（『海』一九七二・一一）でその部分を引用し、理解を示している。足穂は「ボクの『美のはかなさ』—存在論的モザイック」（『作家』一九五二・八）以降、自らの芸術論を存在論的美学によって基礎付けるにいたるが、その実存論的分析の発展過程で「A感覚とV感覚」に始まるエロス論の美学体系が構築されていく。仔細は他日を期したいが、「天狗」は三島と足穂にとって、芸術家のあるべき姿とエロス論を、存在論的に架橋するものと考えられる。

7　注6を参照。

ミシマ・コントラ・カワバタ

――『作家論』の中の「川端康成」／三島由紀夫の中の川端康成――

原　善

Ⅰ　川端の中のワーグナー／見立ての中の洒落

本論のこの表題「三島コントラ川端」とは、勿論、ここで扱う三島由紀夫『作家論』（中央公論社、昭45・10）の中の「川端康成」の章の書き出しに使われた「ニイチェ・コントラ・ワグナー」に倣ったものである。

『作家論』の中の「川端康成」の章は、『日本の文学38川端康成』（中央公論社、昭39・4）の「解説」の六章に[1]、「末期の眼」（『川端康成全集13月報』昭45・3）を付したものであるが、その本章部分である元「解説[2]」では、三島は〈ニイチェが「ニイチェ・コントラ・ワグナー」の中で、ワグナーについて言つてゐる次のやうな言葉は、ふしぎなほど、川端文学に当てはまる。〉と始めて、〈「彼は実に微小なものの巨匠なのだ」〉という言葉を引用するところから説き起こしている。川端をワーグナーになぞらえるのはいかにも奇を衒ったものに見えるが、それについては三島自身も〈川端康成氏について、ニイチェの言葉を借りるのは不似合かもしれない。〉というエクスキューズをつけてから、〈しかし〉として先の言葉を続けていたのである。

さらに三島は、こう言葉を継ぐ。

　　さらにニーチェは、かう言葉を継ぐ。
「ところが彼（ワグナー）はさうであることを欲しない。
　彼の性格はむしろ大きな壁と大胆な壁画を愛する」

この後段は、川端文学と正に反対である。川端氏は、ワグナーとはちがつて、むしろ「さうあることを欲し」、かつ、その性格は、「大きな壁と大胆な壁画」とを愛さない。徒らに粗大な構図を愛さない。

〈三島のニーチェ理解は、まさに発想の根源においてニーチェとの同質性を示す[3]〉と評されるようにニーチェストであり、映画「憂国」で「トリスタンとイゾルデ」を流し続けたことでも分かるようにワグナリアンでもあった三島がふざけ半分で二人を持ちだしたとは思いにくいだろうし、「解説」を収めた『日本の文学38』の付録に掲載された川端との対談「川端文学の周辺」で、〈小説の質は細部で保たれてる〉という三島の発言に対して、（文脈は批評の在り方にズレてはいるが）川端が〈細部に意味をつけるんです。〉と応じたやり取りを承けて、対談後にも三島が〈その些細なことが大事なんだよ。その細部が、小説を支えているんだよ。〉[4]と伊吹和子に向かって繰り返していたというエピソードや、『作家論』における〈対象たる作品の細部に対するじつに行きとどいた目くばり〉[5]という佐伯彰一の評価に照らしても、三島が〈微小なるもの〉を大事にしていたことは本気だとして、[6]だからこそ次のようにその自らの見立てを繰り返したのだとも言えよう。

三島はこの「解説」の五年後の第三次十九巻本『川端康成全集』（新潮社、昭44・4～49・3）の内容見本（昭44・1）に「「微細なるものの巨匠」」という文章を寄せて、そこに以下のように書いている。

　かつて私はニーチェに倣つて、川端氏を「微細なるものの巨匠」と呼んだことがある。氏の尖鋭な感覚がとらへた美は、自然そのものが瞬時に示す媚態にあふれてゐて、透明な純粋世界の裡に、現実は虹のやうな変様を示す。この詩、この絶望、この古典の優美、この近代の嘆きは、一堂に会して今改めて読者の心魂を奪ふであらう。

ここからは、〈微小なるもの〉を大切にしていることに加えて、それに関する自分の見立てに三島が陶酔していることを読むことも可能だろう。さらにはここからは、その見立ての意図の片鱗も知ることができる。つまりそれは〈尖鋭な感覚〉による〈美〉、ということだが、しかしこう置き換えてしまえば川端を評する言葉としては格別事新しくはない理解にすぎないこと、つまり見立ての大袈裟さが見えてくるはずである。さらにここで気になるのは、「解説」では〈微小なものの巨匠〉であった呼び方が〈微細なるものの巨匠〉と言い換えられていることであり、前者では見立てだけでなく〈微小〉と〈巨匠〉の韻を楽しんでいた（のを、その遊びすぎを後者で訂正した）[7]ようにも見えるのだが、前者こそが正確な引用であり、後者が記憶違いなのであろうので、そこまでの（訳文をいじるほどの）悪ふざけではなかったにせよ、自身〈あんまり興がつてはいけない〉と書いているように、その〈微小〉と〈巨匠〉の洒落を興じて引く程には〈興がつて〉いることは確かだろうし、「解説」をニーチェとワーグナーから始めてサルトルとジュネで締めくくる展開を考えても、「末期の眼」で〈昭和史のもつとも危機感にあふれた時代に書かれた〉川端のエッセイ「末期の眼」が〈一種の鬼気を帯びてゐる〉といった、やはり〈危機〉と〈鬼気〉の洒落から始めているところなどにも通じる、（こけおどしや悪ふざけとは言わないまでも）ある種の遊びを読みとることはできるだろう。

ここから、〈『作家論』における三島の鋭いいわばごり押しの論理性を、ただそれだけのものに終らせていない〉ものには、佐伯の言う先の〈対象たる作品の細部に対するじつに行きとどいた目くばり、新鮮な着眼〉に加えて、こうした洒落心もあるのだと結論を留めることもできるが、川端をワーグナーに見立てた時、自身をニーチェの位置に置いた三島のもっと別の意図を探る片鱗と言えるかもしれないのである。

Ⅱ 『作家論』の中での「川端康成」／三島川端評の中での「解説」

『日本の文学38』の配本は第二回だが、三島が担当した六巻の中では最初の解説だし、この『日本の文学』の解説を柱にして『作家論』が編まれようとしていた以上、その位置づけは大きいはずで、それなりの評価が為されてもいいようなものなのだが、その『作家論』が文庫化された際の解説では、〈いかにも批評家らしい評論集であり〉〈ほとんどの場合、好意ある解説、美点の称揚という方向を守ってい[8]〉ると述べる佐伯彰一も一般論的な括りの中に含ませてであろう、一切川端に触れなかったし、新装版の解説を担当した関川夏生も〈三島由紀夫の憧れといってもいい森鷗外への評価、泉鏡花への愛着、さらに三島からはもっとも遠い作家と思われていた尾崎一雄作品の分析的な「読み」を味わいつつ、三島由紀夫という人を知るのがよいだろう。[9]〉と述べて、〈「読み」を味わ〉えるものとして「川端康成」の章を取り上げなかったのみならず、言及した場合にも〈まず第三十八巻「川端康成」を六四年三月に書いた〉ことを〈川端は三島を最初に認めてくれた作家であったから当然だと〉しつつ、〈原稿には熱意が感じられない。恩義は恩義として、川端の作品や生き方は三島から遠いものであったのだろう[10]〉と三島の書きぶりの温度の低さを感じ取って（つまり低く評価して）いるのだ。もっともこれには関川自身の好悪も入っているかもしれないが。

一方事典項目で『作家論』が取り上げられる場合にも、〈書中の圧巻は（…）『林房雄』であるが、他の諸章も全集解説文とはいいながら、対象とする各作家への切りこみ方に三島独自の創意が見られ、とりどりに興趣がゆたか〉で〈各作家の文体の秘密をみごとに解き明かしている。[11]〉としながらも川端が例に挙げられることはなく鷗外・鏡花・谷崎・尾崎一雄ら私小説三者が挙げられるのみであったり、〈〈今こそ鏡花再評価の機運が起るべき時代だ〉という指摘や、谷崎潤一郎論における「金色の死」への着目など、随所に独自の視点が光っている他、尾崎一雄ら所謂私小説作家への目配りも注目される。[12]〉というかたちで、やはり鏡花・谷崎・尾崎一雄だけで、川端論への言及は一切なかったりしているのだ。[13]

　以上は『作家論』の中での「川端康成」の章（あるいはその中心の「解説」）の取り扱われ方という謂わば横軸での通覧だったが、視点を変えて（縦軸的な比較として）数ある三島の川端論の中で「解説」がどのような位置にあるのかを見てみよう。

　三島は「川端氏の「抒情歌」について」（「民生新聞」昭21・4・29）を皮切りに、「末期の眼」（前掲。昭45・3）まで、『谷崎潤一郎・川端康成』（中公文庫、令2・5）に収められた、長短合わせて実に二十八本もの川端論評をものしている。が、これまでの川端研究史の中で、『作家論』としてであれ、「解説」としてであれ、それを高く評価するものはほとんどなく、例えばその『谷崎潤一郎・川端康成』を解説した梶尾文武は〈三島による川端論の白眉は、「「作品」について」との副題を付された「川端康成論の一方法」であろう。[14]〉としているし、〈とりわけ川端には文体がないとした「永遠の旅人―川端康成氏の人と作品」（昭31・4）は、様々な論者の数ある川端論の中でも傑出したものとして、川端を論ずる際に必ず踏まえられるようなものとなっている。[15]〉といった評価がほとんどである。もっと正確に言うならば、高い評価どころか、それに言及したものを見つけることすら難しい。三島の川端評のほとんどを収録した『谷崎潤一郎・川端康成』の梶尾解説が触れるのは当然だとしても、それ以外ではわずかに次の二つしか管見では拾うことができない。一つは長谷川泉の〈戦後の騒音の中でのそのひそかな吐息が、川端の真の偉大さを三島に目ざめさせたとは「日本の文学」の『解説』でも触れられている。[16]〉という言及だが、これは「川端康成ベスト・スリー―「山の音」「反橋連作」「禽獣」」（「毎日新聞」昭30・4・11）と重なるものであり、『作家論』に特化した評価ではないが、福田和也の〈『眠れる美女』の、「娘ももう一人おりますでしょう」という結末近くの一句をつかまえて三島は、「エロスの側から人間主義へ投げかけられたもっとも痛烈な一句」と語ったが、[17]〉という言及は、『作家論』の中にも引くに値する文言もさすがに三島だけに無くはないということを明かしていて貴重だが、それにしてもここだけは出典を『作家論』とも「解説」とも示しておらず、研究史的には見落とされがちだし、そこからは出典は名を挙げて称揚するようなものではなかった、ということも読みとれるし、批評家として一切研究論文には目配りすることのなかった福田が作家や評論家の言葉のみ渉猟する中で偶然見つけたにすぎないのかもしれない。

　つまり三島由紀夫の全文業の中でも注目されることの少

ない『作家論』[18]の中でもほとんど評価されてこなかった「川端康成」の章なのだが、しかしある狭い範囲では、とりわけその初出の「解説」が大注目を集めているのだ。

Ⅲ　「解説」の中の「美しさと哀しみと」／「美しさと哀しみと」研究史の中の「解説」

すなわち川端文学研究における「美しさと哀しみと」研究史[19]の中では（中でのみ）三島の「解説」は錦の御旗のようにまかり通っている。その手垢にまみれた御旗は以下の部分である。

まず三島は〈小説家の数ある作品のうちには、その作家の主題、技法、技術的特徴、方法論のすべてが、硝子張の置時計のやうに、つぶさに読みとれるやうにできてゐる作品があるもの〉だと述べ、〈それは必ずしもその作家の代表作とは限らず、また、野心作とも限らない。何かの偶然で、作家はさういふ方法論的小説を書くのである。〉として、〈「美しさと哀しみと」は、私見によれば、そのやうな小説である。〉と前置き、その特徴を〈抒情のロマネスク〉〈反応のロマネスク〉〈突然のロマネスク〉〈時間のロマネスク〉〈色情のロマネスク〉という五点に亘って挙げている。

この〈作家の主題、技法、技術的特徴、方法論のすべてが、硝子張の置時計のやうに、つぶさに読みとれるやうにできてゐる作品〉という部分を誰もが判で押したように最初に掲げるところから論を始めている。それは梶川功太郎が、そこを引いた後、〈この見方が後の先行研究において重要な視座となっていく。[20]〉と俯瞰したとおりであり、その実際をつぶさに跡付ける余裕はここにはないが、例えば、古くは、〈川端文学のすべてが読みとれる「方法論的小説」であるとの三島の指摘は、この作品の特質を最も的確に言い当てていると思われる。[21]〉と始める論から、〈「美しさと哀しみと」は三島が述べるように「作家の主題、技法、技術的特徴、方法論のすべて」が「つぶさに読みとれる」作品である[22]〉と結ぶ最新の論まで、枚挙に遑がない。というよりほとんどの論が三島の言葉を枕詞のように使うことで論を成しているのである。

もちろん三島の評言が有効である以上、先行評価にしかるべき挨拶をすることは当然必要なことであり、もしそう（三島の評が有効）だとするのであれば、その挨拶は評価されるべきものであるが、そもそも三島の評言がそう倚りかかるべきものなのかどうか、そしてそうだしてそれをきちんと咀嚼できるかが問題であるが、ほとんどの論が〈三島由紀夫が指摘したように、この小説は川端康成という作家の「主題、技法、技術的特徴、方法論のすべてが、硝子張の置時計のように、つぶさに読みとれるようにできている作品」（…）だと、いまわたしもいうほかない。〉[23]と三島の言葉をただなぞって結論するような論ばかりなのである。あれだけ名前が挙げられつつ、それが文字通りの枕にされるのみで、そこを踏まえた立論が為されてきていなかっただろうことは、次の論が〈そうした角度からの研究〉を見出せていないことが物語っていよう。〈では、本論の筆者の立場はいかなるものかといえば、三島由紀夫がいみじくも指摘したような「方法論的小説」としてこの作品を読む立場を取りたい。というのも、そうした角度からの研究がほとんどないからである。〉[24]

そしてそれは武田尚子が〈その作品について論述してあるものは少ない。「その作家の主題、技法、技術的特徴、方法論のすべてが、硝子張の置時計のように、つぶさに読みとれるようにできている作品」ということは、裏を返せば「過去の作品の破片の寄せ集めの手法」とも言えるからなのであろうか。確かに他の作品に重複するような部分を見出すことは容易である。〉[25]と述べたとおり、〈そこまでの意図・悪意が三島にあったかは措いて〉作品の評価を〈裏返せる〉ものなのであり、ここで引かれているのは長谷川泉の言葉[26]だが、〈この多少後味のわるい物語の枠の中に、過去の作品の断片がはめこまれ、京都での見聞がはめこまれる。〉[27]という具合に、同じく「美しさと哀しみと」を〈寄せ集め〉として否定的に読む論も散見するのである。本稿稿者は決してそれに与する者でもないが、少なくとも〈三島によれば、『美しさと哀しみと』は、川端の代表作でも野心作でもなく、偶然に書かれた「方法論的小説」である。〉という御旗を掲げて、〈本作から作家の方法論を抽出することを試み〉るような論[28]は、川端の「末期の眼」の中の、三島が『作家論』で付載した「末期の眼」の中でも引いている〈私は「奇術師」と名づけられたことに北叟笑んだものである。盲千人の一人である相手に、私の胸の嘆きが映らなかつたゆゑである。〉という言葉の直後の言葉どおり（川端ではなく三島に）〈たわいなく化かされた阿呆〉なのではないだろうか。

Ⅳ　『日本の文学38』の中の「美しさと哀しみと」／書簡の中の本心

しかし「解説」の中の〈それは必ずしもその作家の代表作とは限らず、また、野心作とも限らない。何かの偶然で、作家はさういふ方法論的小説を書く〉という言い回しを承けて、それを訂正・上書きするかに、六年後に「「眠れる美女」論」（「国文学」昭45・2）を始めるにあたって、三島は「眠れる美女」について〈偉大な作家には、おもてむきの傑作と、裏側の傑作とがあるらしい。顕教的顕仏的傑作と、密教的秘仏的傑作と言ひかへてもよい。川端氏にとつては、「雪国」がそのおもてむきの傑作であれば、「眠れる美女」は、正にその秘仏的傑作なのである。〉と述べるのである。もちろん六年の間に、評価・認識に変化が起きることはありえ、「解説」時点での「美しさと哀しみと」評は本心だったということも考えられなくもないが、それは、以下の情報が否定するだろう。

実は中央公論社の川端担当編集者だった伊吹和子によれば、〈『川端集』は、会社の方針として、（…）『美しさと哀しみと』を、単行本化するに先立ってこの集に入れ、それを類書とは違う魅力にしよう、という狙いがあった。[29]〉ということなのだが、これは「美しさと哀しみと」を収録することで、他の河出や新潮の文学全集とは目次立てを異ならせるということだけでなく、「婦人公論」連載時に好評だった作品を初刊の前に収録することで、「婦人公論」読者の女性層に『日本の文学』シリーズを購入させようとする経営的な戦略だっただろうことは、「婦人公論」や新聞紙上における広告の取り扱い方からでも察することができる。[30]そうした中公の狙いはあたり、〈『日本の文学』は、爆発的な人気を呼んで、全集物では空前と言われるほどの売れ行きであった。[31]〉ということだが、それは「婦人公論」四月号の広告に〈たちまち27万部突破！〉とあることでも知ることができる。もちろんそこには現代仮名遣いの採用や挿画の充実といった要素も働いていたのであって、その功績のすべてが「美しさと哀しみと」にあるわけではないのだが、そのために〈この作品を収録すると、どう計算しても、川端先生の代表作を漏れなく一冊に収めることは不可能〉になり、より重要な『山の音』等の作品が収められなくなったのである。同じ伊吹の情報では、〈やっぱり、あの編集会議[32]の時に、川端さんを説得して二巻割り当てておくべきだった、と、責任編集を担当した三島氏は諦め切れない表情であった〉ということであるのだが、〈『山の音』と、あの『ほくろの手紙』を割愛せざるを得なかったことを、三島氏はいつまでも惜しんでおられた。〉という三島が、この（「川端康成ベスト・スリー」にも数え上げた）『山の音』を入れられなかった元凶として「美しさと哀しみと」を〈好きになれな〉かったのか、それとも純粋に「美しさと哀しみと」を評価できなかったのかは知りようもないが、三島が本気で〈方法論的小説〉などと称揚していたはずもないだろうという彼の本心は、以下の書簡が物語っている。中村光夫宛に〈小生が目下、中公の文学全集の川端康成篇解説で四苦八苦してをります折柄、ひとしほ御好意が身にしみたのであります。[33]〉という具合に「解説」に難渋を示していた三島だったが、後にドナルド・キーン宛の書簡（昭和三十九年十月十七日付け）で、次のように本心を吐露していたのである。

　一例として、僕が川端さんの解説をしたときのことを申し上げませう。（それが正しい態度だと主張するわけではありませんが）中央公論社がむりに入れることにした「美しさと哀しみと」といふ作品を、僕は好きになれなくて困りました。そこでこの作品については、好いとも悪いとも云はず、むしろこの作品を逆用して、川端文学全体の方法的特徴の分析に利用しました。つまりこの作品の中に、他のあらゆる作品を解く鍵を見つけようとしたのです。（…）堀辰雄ではたとへば「菜穂子」がそれに当ります。失敗作であればこそ、あれほど堀辰雄といふ作家の尻尾がよく出てゐる作品はありません。(34)

この文脈からは明らかに三島は「美しさと哀しみと」を〈好きになれな〉いだけでなく、〈失敗作〉（に近いもの）と評価していることが読み取れる。

三島が「美しさと哀しみと」の作品内容を評価していないのは、同じ書簡でも川端宛のものに明らかだろう。〈この間、中央公論の御集の解説に当り、「千羽鶴」をしみ〲再読して、初読のときと全くことなる印象を与へられました。茶道及び日本的風雅の風刺小説であるかの如くさへ感じられ、感興新たなるものがございました。(35)〉という具合に、再読して評価するのは「美しさと哀しみと」以外の作品であり、「美しさと哀しみと」に触れた書簡でも、外遊直前（翌日ロンドンへ出発）とは言え、〈御丁寧なるお手紙並びに御高著「美しさと哀しみと」をありがたく頂戴いたしました。洵に艶なる装幀にて、又、挿絵、本文の印刷効果も頗る美しく、中央公論社は本を愛して作つてゐることに感心いたします。(36)〉という具合に、装幀に触れることで流してしまっているのである。

V　「解説」の中のアク／「末期の眼」の中の毒

しかしこうした資料を参照しなくとも、実際に読めば、「解説」の中の少なくとも「美しさと哀しみと」をめぐる部分（『作家論』で言えば「二」章）は、まさしく苦渋の果てに投げやりに書いたとしか思えない空疎な部分の多い論として読めるはずだ。もちろんいやいや書いたものが正鵠を射ている場合もあろうし、先に福田の論を紹介したように、「解説」の中にはさすがに三島由紀夫だと思わせる部分もあるのは確かである。また、この「解説」に限らず三島は、川端に対して〈暗黒時代に生きる名人〉（「最近の川端さん」『川端康成全集月報11』新潮社、昭37・8）といったネガ／ポジを織り交ぜた呼称を使ったり、川端をドビュッシーに喩えたりもしている（「長寿の芸術の花を—川端氏の受賞によせて」「毎日新聞」昭43・10・18）ので、ここでの洒落交じりの呼称や外国の偉人への見立てという遊びをただちに〈悪意〉とするべきではないのかもしれないが、その書きぶりが投げやりというかやけくそというか、関川に〈熱意〉を感じさせないような遊び半分の灰汁が潜んでいることは明らかだろう。

川端を〈世界解釈の意志を完全に放棄した〉すなわち〈文体をもたない〉(「永遠の旅人」)作家だと決めつけた三島が「美しさと哀しみと」を〈方法的な小説〉というのが悪い冗談にしか聞こえないのは先にも触れたとおりだが、川端を論じるのに〈抒情〉を持ちだすことに対して夙に否定的で、〈川端さんといふと、芸だの感覚だの抒情だのといふ言葉しか知らない批評家に憤慨して、川端康成論のノートを作つてゐます[37]〉という抱負を最初期に書いていた三島が堂々と〈抒情のロマネスク〉などと言ってしまっていることもその証だと言えよう。さらには、例えば、先の三島の評を〈裏返し〉てみせた武田にしても、小坂部元秀の評言[38]である〈「観念的な小説」「乱脈な作品」というのは、三島由紀夫の述べているところの「反応のロマネスク」「突然のロマネスク」「時間のロマネスク」ということによく表わされている〉と肯定もしているかのようでありながら、すぐに続けて〈また川端自身も「連想の浮び流れるにつれて書いてゆきたい私は、書くにつれて連想が誘はれ湧いて出る」と語っている。[39]〉と述べているように、三島が〈反応のロマネスク〉を説明する、〈無構成の特色とも関わりのあるもので、物語があたかもfree-associationに拠るかのやうに、一つの感情によつて不条理に惹き起こされた第二の感情の反応のままに運ばれる。〉ということは、既に川端自身が「文学的自叙伝」(「新潮」昭9・5)の中で自解していたことの言い直しに過ぎないのである。

しかしそうなるとこうした「解説」を書いた三島の意図が問題になろう。既に引いた川端「末期の眼」の〈たわいなく化かされた阿呆〉という直前には、阿呆どもには〈私の胸の嘆きが映らなかつたゆゑである。〉という言葉があったのだが、その伝でいけば、川端研究者の多くを〈阿呆〉にしてしまった三島の〈胸の嘆き〉とは何かということである。

それは版元からの要請に嫌々従わざるを得なかったことにとどまらず、後にはっきりする、三島の川端離れの兆しなのではないか[40]、という推測が可能だろう。すなわち「ニイチェ・コントラ・ワグナー」が、ニーチェからの(あれだけ信奉していた)ワーグナーを全否定するものだったように、この時三島自身がどのくらい意図的だったのかは知らず、そして三島は〈川端氏は、ニイチェがかくあれと願つたやうなワグナーであ〉ると述べてはいるものの、ニーチェに自身を重ねた三島が川端に見立てたワーグナーは〈微小なるものの巨匠〉ということ以上に、愛憎の入り混じる思いで否定されるべき存在であったのではないかという推測である。今それをこまかく検証することは叶わないが、見てきたような三島の「解説」の書きぶりは、明らかにそれを示しているとは言えないまでも、それを暗示しているとは言えないだろうか。〈美〉と〈悲劇的なもの〉を究極には求めていた三島の美学にとっては、川端の〈劇〉を伴うことなく〈美しさと哀しみと〉を並べうる、あるいは等し並みにしてしまうあり方は認められないはずで、それが彼の「美しさと哀しみと」否定の根底にあるのではと考えることもできるのである。

　ところで『作家論』では、なぜ「解説」だけでなく「末期の眼」が付されたのかという興味深い問題が残る。単に全体の分量不足を補うためとは（そもそも所収の「林房雄」が、それだけで一冊として刊行されていたように、いくらでも造本上での処理が可能だろうから）考えにくいし、そうであったとしても、それが何故他の作家の章ではなく「川端康成」の章でなければならなかったのか[41]、そしてそれが何故「末期の眼」でなければならなかったのか、という問題である。単に直近の論だったからだとも言えようが、何かの論で補完しなければならないような薄さ（〈熱意〉の無さ）がやはり「解説」にはあったのか、とも思わせる。しかしなぜ他の数ある川端論の中で（たとえば「永遠の旅人」等ではなく）「末期の眼」だったのか、それによって何が補完されるというのだろうか。

　ところでその「末期の眼」については、村松剛が「末期の眼」の冒頭のパラグラフの末尾を引く際に〈他人の死によつて川端氏は時代に耐へて来たのではあるまいか。〉という部分に傍点を打って、〈傍点を付した終りの部分は、このころの三島の心情を思いあわせると、濃厚な毒を含んでいる。彼自身の死にも冷然と接して、「時代に耐へ」る糧とするつもりかと、この一文はいっているようにうけとられるのである。／川端さんに対して三島がこんな評言を投げかけたことは、かつてなかった。[42]〉と述べていたように、「解説」以上に「末期の眼」の方に三島の川端への〈毒〉を読むことができるのだとすれば、それは補完ではなくむしろ〈かつて〉もあったものへの悪意の補強だった、とすべきなのかもしれない。いずれにしてもこの「末期の眼」付載の意味はもっと考えられるべきものであろう。この村松が感じた〈毒〉は初出時の、すなわち彼が説く楯の会事件直後のものということになるが、さらにはそれを『作家論』に収めた際にも、その〈毒〉はより強く発酵していたはずである。自裁を数か月後に控えた段階で、生前最後になる刊行物に追補のかたちで収める文章が、文学者の自殺を否定する文章を論じたものであることを考えれば、そこに〈毒〉を読みとらない方がおかしいはずだろう。

（武蔵野大学元教授）

注1　初出では見出しや行空きで分けられていた部分が『作家論』では数字で分けられている

2　以下分かりやすくするためにここでは初出と初刊と

の区別をつけず、「解説」と呼ぶことにするが、引用は、仮名遣いも含め、著者の意の反映されている初刊に拠った。

3　「三島由紀夫のニーチェ理解─『悲劇の誕生』を中心に─」（「解釈」昭49・4、後『三島由紀夫とその周辺』教育出版センター、昭55・5）

4　伊吹和子『川端康成　瞳の伝説』（ＰＨＰ研究所、平9・4）

5　佐伯彰一「解説」（『作家論』中公文庫、昭49・6）

6　それはさらに〈小説の細部を特に大事にする僕には（…）〉（キーン宛昭和四十年一月二日付け）と述べたり、〈日本の評論家の解説は、多く細部を無視〉（キーン宛昭和三十九年四月十五日付け）することを難じたりするというかたちで三島の書簡の中にも多く拾えることからも言えるだろう。

7　『ニーチェ全集Ⅸこの人を見よ』（新潮社、昭25・10、阿部六郎訳）と比べれば、〈る〉の脱落という引用間違いと圏点を傍点に変えるという変更があったものの、〈微小〉と〈巨匠〉に関しては本文どおりである。

8　佐伯彰一「解説」（前掲）

9　関川夏央「解説」（『作家論　新装版』中公文庫、平28・5）

10　関川夏央「解説」（前掲）

11　坊城俊民「作家論」（長谷川泉・武田勝彦編『三島由紀夫事典』明治書院、昭51・1）

12　猪狩友一「『作家論』（評論集）」（松本徹・佐藤秀明・井上隆史編『三島由紀夫事典』勉誠出版、平12・11）

13　もっとも猪狩は、書誌的なところで〈「末期の目《ママ》」〉の異質性には触れている。せっかくそこに触れるなら、何故それをあえて入れたのかが問われてもよかっただろう。

14　梶尾文武「解説・自己表象としての美」（『谷崎潤一郎・川端康成』中公文庫、令2・5）

15　原善「川端康成」（松本徹・佐藤秀明・井上隆史編『三島由紀夫事典』勉誠出版、平12・11）

16　長谷川泉「川端康成」（長谷川泉・武田勝彦編『三島由紀夫事典』明治書院、昭51・1）

17　福田和也「いつでもいく娼婦、または川端康成の散文について」（「新潮」平9・4、後『日本人の目玉』新潮社、平10・5）

18　ここで対象にしている『作家論』が三島研究の中ではどのような位置に立つのかといえば、本誌「三島由紀夫研究」での特集がようやく今号になってからだということが既にその答えを暗示しているが、〈刊行の翌月に割腹自殺をとげ、世間の目がそちらに向いたこともあり、本書について、『林房雄論』刊行時のような反響は見られない。〉（猪狩友一前掲文）ということだし、三島研究史に明るくない身としては、〈本書自体が研究テーマとなることは少ないよう〉だという同じ猪狩の紹介を真に受けておくが、たとえば三島とニーチェの関係を論じた斎藤順二前掲論、青海健『三島由紀夫とニーチェ』（青弓社、平4・10）、小埜裕二「三島由紀夫のニーチェ受容」（「金沢大学国語国文」平3・2）、井上隆史「ニーチェ、バタイユ、ハイデガー」（『三島由紀夫論集第3巻』勉誠出版、平13・3）、田坂昴（『増補三島由紀夫論』風濤社、平19・6）、の誰一人、そして三島のニーチェ言及をつぶさに渉猟した清眞人『三島由紀夫におけるニーチェ』（思潮社、平22・2）までもが「川端康成」の章での先のニーチェの持ち出しを拾い落としているのみならず、その立論の下敷きに敷かれているサルトル論の展開の中でも、清は「聖ジュネ」に対する三島の言及をはっきりと〈無い〉と言い切っているくらい、彼らの視野には『作家論』は入ってきていないということが、『作家論』の扱われ方の低さを物語っていよう。

19　「美しさと哀しみと」の研究の歴史は、杵渕由香「『美しさと哀しみと』研究史」（羽鳥徹哉・林武志・原善編『川端康成作品研究史集成』鼎書房、令2・9）に詳しい。

20　梶川功太郎「川端康成「美しさと哀しみと」論—雑誌「婦人公論」と昭和三十年代の日本美術—」（「福岡教育大学国語科研究論集」平29・3）

21　傳馬義澄「川端康成「美しさと哀しみと」論序説」（「国学院雑誌」平3・9）

22　内田裕太「静止する時空—川端康成「美しさと哀しみと」をめぐって—」（『川端文学への視界32』銀の鈴社、平29・7）

23　河野仁昭「『美しさと哀しみと』—破滅への美」（『川端康成　内なる古都』京都新聞社、平7・6）

24　杉谷健「川端康成作品論『美しさと哀しみと』・『古都』の比較分析」（「福岡大学日本語日本文学」平26・3）

25　武田尚子「川端康成研究—「火中の蓮華」をめぐって—」（「東洋大学短期大学論集」昭55・3）

26　長谷川泉「川端文学の本質」（『川端文学への視点』明治書院、昭46・3）

27　鈴木晴夫「「美しさと哀しみと」考」（武田勝彦・高橋新太郎編『川端康成—現代の美意識—』明治書院、昭53・5）

28　中村ともえ「川端康成『美しさと哀しみと』—人体を描く」（「奏」平30・12）

29　伊吹和子『川端康成　瞳の伝説』（前掲）

30　例えば〈未刊の最新作を加えた代表作集〉（「朝日新聞」昭39・1・21）とあり、配本当月の「婦人公論」四月号には〈未刊の最新長篇「美しさと哀しみと」を加えてユニークな編集をほこる川端文学の決定的集大成〉というコピーが大きく掲げられている。このあたりの情報は深澤晴美「「婦人公論」「中央公論」における川端康成—時代との交点を探って—」（和洋九段女子中学校・高等学校「紀要」平11・4）に詳しく、貴重である。

31　伊吹和子『川端康成　瞳の伝説』（前掲）

32　この経緯は、『続高見順日記第二巻』（勁草書房、昭50・8）の〈「日本の文学」打ち合わせ会。例によって激論。／漱石三冊、荷風二冊、谷崎氏三冊、康成二冊という案が社から出たが川端さんは二冊を拒み、あくまで自分は一冊でいいと言う。漱石も二冊となる。〉（七月三十日）という記事で知ることができる。

33　中村光夫宛昭和三十八年十一月二十九日付け書簡。以下引用は『三島由紀夫全集38』（新潮社、平16・3）による。

34　『三島由紀夫未発表書簡　ドナルド・キーン氏宛の97通』中央公論社、平10・5．後『三島由紀夫全集38』（前掲）

35　川端康成宛昭和三十八年十二月十五日付け書簡

36　川端康成宛昭和四十年三月九日付け書簡

37　徳川義恭宛昭和二十一年七月二十五日付け書簡

38　「「美しさと哀しみと」をめぐって」（長谷川泉編『川端康成作品研究』八木書店、昭44・3）

39　武田尚子「川端康成研究―「火中の蓮華」をめぐって―」（前掲）

40　村松剛「三島の死と川端康成」（『西欧との対決』新潮社、平6・2）、野末明「三島由紀夫の川端康成観」（「芸術至上主義文芸」平10・11）等が、三島の川端理解が、川端が楯の会結成一周年記念パレードでの祝辞を断って以来、微妙にしかし決定的な変化をみせていくことを指摘している。しかし井上隆史「三島由紀夫と川端康成」（田村充正・馬場重行・原善編『川端文学の世界4その周辺』勉誠出版、平11・5）は、三島における両者の間の〈溝〉の認識ははるか以前（たとえば「創作ノオト〝盗賊〟」）にまで遡れるという、本稿と繋がる理解を示している。

41　他には「谷崎潤一郎」の章だけが二本立てになっているが、これは本論部分が『日本の文学』の「解説」ではなく、しかもそれが「金色の死」一編に絞られていたが故の必然がある。しかし、一見すると『作家論』に収まる一番古いものである「林房雄論」に抱き合わせれば時間的にも首尾呼応するかの、『日本の文学40』（昭43・8）の中の林房雄部分の「解説」も、「青年」論に絞られていて補完の機能を持たない中で、川端論のどれかを入れるしかなかったのかもしれない。

42　村松剛「三島の死と川端康成」（前掲）

特集　三島由紀夫・『作家論』

三島由紀夫と私小説

勝又　浩

1

三島由紀夫は、秋山駿との対談「私の文学を語る」で、私小説についてこんな発言をしている。

まず、最近の作品として江藤淳「一族再会」、安岡章太郎「幕が下りてから」、島尾敏雄「死の棘」をあげ、これらがみな「自分のことを人がどう思っているかという、距離測定があまりない」と指摘する。そしてそのことをこんな喩えで強調している。訪ねた家で「おもてなしだといってアルバムを見せられるような気がする」、「人の家にいって、アルバムを見せられるほどいやなことはないでしょう」と。

たしかに、結婚披露宴などにもよくあるが、いくら親しいからといっても家族アルバムやご当人たちの古い写真などを見せられるのはまったく閉口、逃げ出したくなるが、そこから、私小説もその類だというのは、よくも言ったり、というほかない。突き詰めてみればどんな芸術作品も、つまるところ個人アルバムの披歴という要素を免れないだろうが、とりわけ私小説などはどこか臆面のなさのようなものが付きまとってしまう。

ここに三島由紀夫があげている当時の三作にしても、その難は免れない。とくに「死の棘」などは、言ってしまえば犬も食わない夫婦喧嘩の顛末だという性格、前提は否定しようもない。この小説が評判だった頃、三島由紀夫が、「妻を入院させて、良人は子供の教育に専念すべきだ」と、小説のレベル以前の発言をしていたことを思い出す。三島由紀夫ともあろう人がどうしてそんなことを言うのかと、当時不審に思ったものだが、発言の背景には、その根本には、彼の私小説そのものへの不審があったのだろう。今度探し出して読み返してみれば、そこには「さあ、いよいよわからない。主人公をして世俗実際的解決に背かせるにいたった根本原因が、どうしても私にはわからないのである」（「魔的なものの力」）ということばもあった。

　妻が入院するについて、その付き添いのために、子供たちは親戚に預けて、夫も一緒に入院してしまう。そうした対処の仕方に、実際問題として疑問を持つ人はたくさんいたが、ここで三島由紀夫はさらに、そうした状況から作品が生まれてくる不思議につい言っている。こんな異常な状況のなかでなおも夫婦のアルバムを開陳しようとする、してしまう行為、妄執である。「芸術には、世俗の実際的な解決を代行するに足る力のないことも、わかっているのである」と。こうした文学と人間との不思議について、彼は結局「魔的なもの」と言うしかなかったのであろう。

　われわれはこれらの世にも怖ろしい作品群から、人間性を救ひ出したらよいのか、それとも芸術を救ひ出したらよいのか？　私小説とはこのやうな絶望的な問ひかけを誘い出す厄介な存在であることを、これほど明らかに証明した作品はあるまい。（「魔的なものの力」）

　三島由紀夫がこんなふうに書いたのは昭和三七年（一二月号「文學界」）のことだった。ここでは私小説という存在の「厄介さ」、底の知れない闇の深さについて衝撃を受けたように書いているが、しかし、初めに紹介した、私小説は他人に家族アルバムを見せるようなものだと言った（「私の文学を語る」）のは、実はそれから五年も経った昭和四三年（四月「三田文学」）のことだった。「死の棘」の文学的問題の大きさ、深淵の深さには恐懼したが、だからと言って納得した、降参したというのではなかったらしい。家族アルバム開陳法を肯定したわけではなかったのである。

　島尾敏雄が妻に付き添った病院からも、当時「病妻もの」と呼ばれた「死の棘」一連の作品を書き続け、発表し続けたのは、実はそれを当の妻が望んだからだという、当時は知られていなかったもう一つの不思議が背景にあった。むろん、三島由紀夫はそんな事実は知らない。「死の棘」という作品の謎、「厄介」さは、実は彼が考えた以上に大きかったのである。

2

　言うまでもないが、私小説にもさまざまな個性があり、性格がある。というよりも、私小説と言うくらいだから、それは「私」の数だけ種類があると言うべきかもしれない。そうしたなかで、三島由紀夫がどんな作家作品にどんな反応を示しているか、そこに大いに興味がそそられる。といのは、批評家の発言とは違って、彼自身も私小説を書いているからだ。三島由紀夫がどんな作家先品を好んだか嫌ったか、それは自ずから彼自身の私小説の性格にも影を映していると考えてよいだろう。

いま、島尾敏雄への消し難かったらしい違和感、あるいは距離感のようなものを見たが、『作家論』のなかでは牧野信一についての辛辣な見方にもそれが見られる。彼の文学的な姿勢を、日本文学にはよくある「坐ったままのハイカラ」だとまず揶揄している。そして「言葉の運用のぞんざいなこと」、それはほとんど「粗雑な戦後派の文体の先駆」だとまで言う。そうして、展開された幻想世界も稲垣足穂には及ばないと決めつけている。文学史的には、牧野文学は足穂文学への道を開いた人だとされるのだが、「先駆」の語を皮肉に使ってみせたのかもしれない。たしかに、牧野信一の「父を売る子」、「ゼーロン」、「鬼涙村」等々、どれをとっても三島文学とは最も対極的な存在、重ねられる要素はないかもしれない。それに対して、三島由紀夫の「美しい星」などは何の抵抗もなく足穂文学と並んでしまうだろう。

しかし、一つ蛇足すればこんな側面もある。

三島由紀夫が『小説とは何か』（昭和五〇年）のなかで、名はあげてはいないが、明らかに当時連載中だった小島信夫の「別れる理由」を指して、奇怪醜怪だが珍しい「傑作」だとしていると、千石英世が指摘している事実だ。

「別れる理由」は、当時「群像」に一四年間も連載されて、その間、担当編集者と校正者しか読まない小説だと酷評されたこともあった。小説の主人公が作者に電話を掛けて来て苦情を言うような無法で奇怪な小説だが、こうした方向での小説破壊小説は、日本では、実は牧野信一の「父を売る子」（大正一三年）あたりから始まっているのだ。「別れる理由」には、その他「ゼーロン」や「村のストア派」など「ギリシャ牧野」と言われたような側面など、牧野信一の小説と重なるところがずいぶんある。私から見ると、牧野信一と小島信夫は共通するところが多いのだ。そうしたなかで、しかし三島由紀夫は、後者は認めたが、その源流である前者・牧野信一は評価しなかったという事実、その違いは何によるのだろうか。今それに答える用意が私にはないが、思い付きを記しておけば、それは牧野信一の死に方にあったかもしれない。三島由紀夫が反発した太宰治と同様、彼も自殺した作家の一人だった。

3

『作家論』中にはもう一括り「尾崎一雄・外村繁・上林暁」と、三人の私小説作家を論じた一章がある。これらは、先の「内田百閒・牧野信一・稲垣足穂」と同様、もとは中央公論社の全集「日本の文学」の「解説」として書かれたものだ。

余計なことだが、この全集は三島由紀夫も編集委員の一人だったから、おそらく何巻分かの解説を受け持つ責務があって、それではと自ら選んでの仕事だったと思われる。第五三巻は明らかに尾崎一雄への親愛があって選ばれているが、逆に言うと、上林暁はともかく、外村繁などはこのとき初めて読んでみて、その低調ぶりにがっかりした、そういう雰囲気が明瞭なのだ。「些か文学的海抜が低いことを認めないわけには行かないのである」とは、まことに言い得て妙、適評だろう。外村繁は、いわば典型的な私小説作家だから、この「文学的海抜」はそのまま作者自身の人間的な「海抜」にも重なってしまうのが、読んでいかにも哀しいところである。

そして、こうした配列のなかに置かれてみると尾崎一雄の人間的、文学的「海抜」の高さはますます明瞭にならざるを得なかったのであろう。

> 尾崎氏の人間の見方は、幾重にも屈折しているし、表裏を十分見比べているけれど、つねに或る節度があり、節度にとどまる決断があり、これが氏の作品の気品をもなし、明るさの原因でもあろうと思われる。

尾崎一雄について、その文学と人間について、これほど的確に言ったことばを私は他に知らない。このあたり、そうなのだ、そこなのだと、読んで手を打ちたい気持ちになるが、それは、こう書いている三島由紀夫自身の、尾崎文学への発見とその歓び、深まる親愛が伝わってくるからだろう。三島由紀夫は、そのように言う根拠として尾崎一雄の「父祖の地」をあげ、そこに描かれている、「暢気眼鏡」の「芳枝」とは「対蹠的」な人間像たる父親像を指摘する。

> 私は近代日本の小説に、鴎外以外放棄されていた原質的日本人の姿がよみがえった稀な一例をここに見た。原質的日本人が、同時に、倫理的人間であり、意志によって作られた人間であることを、小説家以外の誰が証明しえようか。

・

尾崎一雄は、戦後、私小説が短歌俳句とともに徹底して否定された時代にもちょっと別格の存在で、彼を正面から批判するような論は不思議なほど少なかった。佐々木基一は後年、あの頃は私小説否定さえしていれば批評が書けたと自嘲的に回想しているが、そんな彼にも、志賀直哉批判はあるが尾崎一雄批判はないのだ。三島由紀夫の、この尾崎一雄論のなかに「よき私小説はよき客観小説であり、よき戯曲はよき告白なのである」という名言があるが、尾崎一雄の小説だけは、誰にも、私小説一般への批判理論では片付かなかったのであろう。

話が少し逸れるが、戦後派の批評家たちは、こうした現実をもっとしっかり認識し、考えるべきだったろう。私小説を中心に見る限り、こうした欠落に彼らの思想の曖昧さ中途半端さが付きまとったのも否定できないのだ。敗戦という現実は、彼らに西洋式な「近代」という夢ばかり追わせることになったが、良くも悪くも、その分だけ日本の現実が見えなかったわけだ。

　ここで三島由紀夫が言っている「原質的日本人」ということばは、私にすぐ吉本隆明の言った「日本封建制の優性」（「転向論」）ということばを思い出させた。それは中野重治の「村の家」の父親——転向して出獄してきた息子に、もう筆を折れ、お前は死んでくるものと思って諸事を始末してきた、と言って迫った孫蔵——を指して言われたことばだ。まさに「倫理的な人間であり、意志によって作られた」、日本の文化のなかで育まれた「原質的日本人」の一人に他ならないだろう。こういう存在を、吉本隆明に指摘されるまで、戦後派の批評家たちは読みとけなかったのである。

　「村の家」の主人公高畑勉次は、父親の「筆ア捨ててしまえ」という忠告をとらず、「よくわかりますが、やはり書いて行きたいと思います」と返す。それは、父親の言うことは分かるが、それゆえ今の自分には一つの「ワナ」になってしまう——運動から逃げてしまう——結果が見えるからだった。戦後派の批評は、勉次のこの姿勢を殊の外尊重し、有り難がったのだが、父親孫蔵の人格的立派さ、その歴史的文化的意味の方には目が届かなかったのだ。

「日本の文学」の第五三巻「尾崎一雄・外村繁・上林暁」の「月報」には、おそらく「解説」を書きあげてから行われたであろう、三島由紀夫と尾崎一雄との対談「私小説の底流」が載っている。今度初めて読んで、私はその内容以前、三島由紀夫が、彼にしては珍しく、とても丁寧なことば遣い、態度に終始していることに驚いた。当然そこには二五歳年上の先輩作家に対する礼節もあるだろうが、またそれだけではないこと、尾崎一雄の人と文学への深い敬愛からにじみ出ていることも確かなのだ。前に立つどんな人間も武装解除させてしまうような、穏かだが大きな力が、尾崎一雄にはあったのだろう。

4

三島由紀夫の私小説およびその関連作品には、私の知る範囲では次の七種九編がある。

①「椅子」（昭和二六年三月「別冊文芸春秋」）
②「岬にての物語」（昭和二一年一一月「群像」）
③「詩を書く少年」（昭和二九年八月「文學界」）
④「仮面の告白」（昭和二四年七月）
⑤〈菊田次郎三部作〉
「火山の休暇」（昭和二四年一一月「改造文芸」）

「死の島」（昭和二六年四月「改造」）
「旅の墓碑銘」（昭和二八年六月「新潮」）
⑥「荒野より」（昭和四一年一〇月「群像」）
⑦「蘭陵王」（昭和四四年一一月「群像」）

他に小説ではないが重要な自伝的な作品として、

⑧「私の遍歴時代」（昭和三八年一月〜五月「東京新聞」）
⑨「太陽と鉄」（昭和四〇年一一月〜四三年六月「批評」）

他にも、学生時代の作文に「平岡公威自伝」というような文章もある。詳しく見ればまだあるかも知れないが、それはまた別の機会を待つことにしよう。ここにあげたのはだいたい描かれた主人公「私」の年齢順である。

①「椅子」は学齢前。「脳神経痛」のために病床から離れられない祖母の枕もとで、おとなしく本を読むか絵を描くくらいしか行動の許されない毎日だが、そうした生活を、たまたま見つかった母親の手記によりながら回想、考察、引用している。七編のうちこの一編だけはかなり家族アルバム風な趣がある。しかし、著者自身が母親の手記に現われた子供時代の自分の姿に驚き、また母親の理解や思い込みとは違った、当時の自分の意識のありようなど、自ずからアルバム開陳とは違う性格を見せているとも言える。

②「岬にての物語」は一一歳、小学五年生のとき。主人公の健康を気遣った両親が、夏休みを房総の海辺の村で送ったときの話。ある日、海岸から見える岬の先端まで一人で遠出して、空き家になった別荘で不思議な男女に出会う。現実と夢想の入り混じった展開は佐藤春夫の「スペイン犬の家」を想起させる。ことさら私小説だと言わなくてもよい作品でもある。しかし、虚弱体質で夢想癖のある少年という設定が作者自身に深く重なっているのは一編の重要な要素である。

③「詩を書く少年」は学習院高等科時代。文芸サークルで親しくなった先輩との交流。自費出版ながら既に詩集を持っている早熟な先輩との少年愛風なやりとりを中心にしている。詩がいくらでも書けてしまうという状態を散文で描いて見せるところがあって唸る思いだ。現実から遊離しことばが華麗に立ち上がってゆく光景はたしかに天才的だが、同時にどこか通常でない病んだ感じも明瞭だ。その微妙なところを描けてしまうのも怖い。

④「仮面の告白」は時間軸としては出生から青年期までを扱っているが、ある主題を設定してそこから生涯を見定めるというスタイルの自伝的戦略的私小説で、これは後の評論的自伝に繋がっている。テーマの特異性、強烈さがさまざまな人間的な問題を喚起する。ことばは悪いが、問題小説と私小説の、純度の高い結合だと言えよう。

⑤〈菊田次郎三部作〉は同名の主人公を通した旅行三部

作。壮大な風景のなかに浸すように身を置くのが好きだという作者の芸術論的な連作でもある。作者の独身時代という性格が強く反映されている点でも私小説というスタイルをよく活かしている。

⑥「荒野より」は熱狂的な読者が三島家に侵入した事件を書いている。闖入してきた若者が、結局は自分の心の荒れ地から生まれてきた存在だろうと、現実が観念に収斂されてゆく、特異な心境小説となっている。

⑦「蘭陵王」は「楯の会」の自衛隊入隊体験中のエピソビード。隊員のなかに横笛を吹く青年がいて「蘭陵王」を吹いてみせた。蘭陵王は、その美貌を隠すために戦のときは奇怪な面をつけたという中国の伝説上の人物。この一編は三島由紀夫の短編としては最後の作品だったが、それが心境小説の形を取っているのは、彼個人の意志を超えた、日本の文学伝統の力が深く働いていたように思われる。

⑧「私の遍歴時代」は文学的な自叙伝。新聞に連載されたものだから、そういう範囲での、いわば表側の文学的経歴である。

⑨「太陽と鉄」は肉体をテーマに自身の生涯を見直し、考え直した、自伝的、形而上学的な、一種の私小説とも読める特異な一編。テーマがあるという意味では「仮面の告白」とも通ずるが、「仮面の告白」を性と自意識の自伝だとすると、「太陽と鉄」は肉体と芸術の自覚史だと言えよう。「仮面の告白」では表面に出ていなかった筋肉としての肉体と、併せて美、文学という問題を中心にしている。ただし、いろいろ問題が多い。それはまず、おそらくは彼の肉体的劣等感が逆転して肉体過信になってしまっていることだ。

5

「詩を書く少年」にこんな一節がある。

> 美しいものを作る人間が醜いなどといふことはありえない、と少年は頑固に考へたが、その裏のもう一つのもつと重要な命題は、つひぞ頭に浮かばなかつた。すなはち、美しい人間がその上美しいものを作つたりする必要があるか、といふ命題である。

一五歳の少年の思い込みを二九歳の作者が批評している趣だが、その一五歳と二九歳に共通しているのは、どちらも自分の行動に解釈や意味付けをしなければいられない気質らしいということだ。それが結局三島由紀夫というキャラクターだと言ってもよい。〈菊田次郎三部作〉についても、後にはこんなふうに書くことになる。「作中、むりにそれを理論づけようとして失敗してゐるさまざまな屁理屈は、作品にとつてまつたく重要でない」（『三島由紀夫短篇全集』3「あとがき」)。

思うに、三島由紀夫がもっと長生きしていたら、「太陽と鉄」についても同じような反省を書くことになったのではないだろうか。年齢に従って肉体が衰えてみれば、筋肉が精神なぞではないことは否応もなく分からざるを得ないからだ。筋肉はモノであって、スポーツではない。

ここでは「太陽と鉄」について少し見ておきたい。

三島由紀夫は自分が宿命のように背負った「二つの相反する傾向」として次のように書いている。

> 一つは、言葉の腐食作用を忠実に押し進めて、それを自分の仕事とする決心であり、一つは、何とか言葉の全く関与しない領域で現実に出会おうという欲求である。

前者は、「椅子」に見られるような、行動を封じられた子供時代の生育環境から来た、現実よりもことばが優先してしまう認識の、生理的とも言うべき資質である。これは彼を「詩を書く少年」のような、あるいは一六歳で歴史小説「花ざかりの森」を書いてしまうような、文学的天才に作りあげたわけだ。むろんその後の活動については言うまでもない。

後者は、「仮面の告白」にも書かれ、この「太陽と鉄」にも言われているが、少年時、初めて神輿を担ぐ者たちの陶酔の表情を見たときの驚きから発している。ことばや意識の介在しない、本来の動物としての人間のあり方だと言ったらよいだろうか。自分の一挙手一投足、行動の全てが意識やことばの支配下にあった三島由紀夫としては、自意識の消えた人間の状態、存在の仕方、それは驚きであり、不思議であり、いつかは獲得すべき目標となったのだろう。そういうところから彼の肉体づくりが始まったわけだ。

――そう、それを肉体の問題、そして肉体づくりだと捉えたところに三島由紀夫の特異性があり、実は悲劇もあったのではないだろうか。

> 言葉ははじめから私を集団から遠ざけるように遠ざけるように働いたのである。しかも、集団に融け込むだけの肉体的な能力に欠け、そのおかげでいつも集団から拒否されるように感じていた。
>
> 集団というものは肉体の原理にちがいない。

こうして三島由紀夫は自己改造としての肉体づくりを始めたわけだ。繰り返すが、そこには切実な「何とか言葉の全く関与しない領域で現実に出会おう」という願望があった。しかし、陶酔、忘我の状態を作り出すのはなにも「肉体の原理」だけの集団とは限らない。

　神輿担ぎの青年たちの陶酔状態にしても、それは集団の力を借りての忘我、意識の放擲ではあろうが、彼が想像したような「肉体」だけがその条件ではないだろう。それは集まって歌う人たち、演奏する人たち、祈る人たちにだって共通した心的状態のはずだ。それは、アメリカの教会などで黒人たちがゴスペルを歌う姿を思い出して見れば想像がつくし、端的には、現代でもしばしば出現する宗教集団のことを思い出すだけでも分かることだ。ここには、優れて明晰だった三島由紀夫、そして何よりも、あの戦争を潜り抜けてきたはずの三島由紀夫にも似ない誤解があるが、そうした短絡も、つまりは自身の肉体コンプレックスから出ているのかと思うと、これもまた何だか大変悲しい。

　ボディービルで評判だった頃の三島由紀夫を銀座で何度か見かけたが、写真で見知っていた印象とは大違いで、おやと思うほど小柄な人だったのと、とても足の小さい、つまり靴がとりわけ小さいのが、何ともアンバランスで印象強かった。後に、東大全共闘の学生たちからその逆三角形の体形を「近代ゴリラ」などとからかわれていたとき、私は夜の銀座で何度か見た彼を思い出して一人笑った。

　「太陽と鉄」の終章、「エピローグ――F104」には、超音速ジェット戦闘機に搭乗したときの感激、「陶酔の正反対に位置する陶酔、知的極限の反対側に位置する知的極限」を、力を込めて書いているが、力が入り過ぎている分だけ、本当の「現実」とは遊離していることが明瞭なのだ。真の陶酔も忘我も、あんなことばの嵐を呼びはしない。そうして、「太陽と鉄」が結局は、もう一つの「岬にての物語」、夢想の小説に過ぎないと見えてしまう。

6

　そういう次第で、「太陽と鉄」は、私にはあまり採るところは無いのだが、しかし、三島由紀夫が何故こうした奇妙な「屁理屈」、理論構築に夢中になったのかということは分かるように思う。それを促したのは、実は谷崎潤一郎なのだ。

　『作家論』には谷崎潤一郎論が二種収められているが、その後者、「新潮日本文学」の「谷崎潤一郎集」に付した「解説」は不思議な熱気を帯びた谷崎論だ。谷崎初期の短編「金色の死」に展開されている芸術論をとりあげて執拗なほど分析追究している。小説自体は、裕福な家に生まれた美少年がさらに肉体を鍛えてアポロンのような美しい身体を作りあげる、自ら一つの生きた芸術作品と成り果せるが、その芸術論に従って最後には金粉まみれのなかで死んでみせる、という話である。

　彼は、美とは絵や彫刻のように見えるもの、音楽のように直接感じとれるもの以外にはありえない、思想とか精神とか、さらに想像力などという眼に見えないものは美としては意味がない、画家は肉体が最上の美の極点にある時の人間の姿をこそ描きとどめなければならない、と言うのだが、これは何となく三島由紀夫の「詩を書く少年」が夢想した芸術論に似ていて面白い。「金色の死」は「失敗作」だと言いながら彼がこだわったのも分かるように思われる。そんな主人公の芸術論、その主張を三島由紀夫は次のように要約してみせる。

　最終命題《芸術は悉く実感的なものであるが、その客観性の最終保障は、感じること享受することにあるのではなく、感じられること享受されることになければならないが故に、官能的創造の極致は自己の美的な死にしかない》

　小説の主人公は、すべての芸術は個人の欲望、その性欲から発しているとも言っている。そこから線を引っ張ってみると、芸術作品はたしかに作った者が満足しているだけでは「客観性」がない。作られたものが他の者を動かしてこそ初めて作品として自立するということになろう。作品の客観性の「最終保障」が他人にも同じように「感じられること享受されること」だと三島由紀夫が言うのは理解できる。ただ、そのために「官能的創造の極致は自己の美的な死しかない」というのがもう一つ分からない。小説ではたしかに主人公は死んでいるのだが。

　だいたい谷崎潤一郎の初期の小説などは常識的なリアリティーという点ではまるで話にならない、という問題もある。背中いっぱいの「刺青」を一晩で彫るなどありえないし、彫り終わってすぐ入浴するなどは論外、死んでしまうかもしれない。あるいは太平洋を船で運ばれて来た「人魚」が、蓋を開けてみればと、まるで風呂桶ほどの水槽に入れられていたらしい。金魚ではあるまいし、人間一人分の水棲の生き物が何か月も風呂桶一つの大きさに耐えられるはずがない――谷崎初期作品にはこんなお伽噺めいたことが、いたるところにあって、これらは要するに常識的な小説ではない、作者が言いたいことを言うための書割りのようなものに過ぎない、ということだろう。

　「金色の死」も同じことで、主人公の芸術論だとしてシラーだレッシングだとさまざまな名が動員され、引用までして見せているが、それらは、言うならばいかにも通俗的、また貧相で、まるで見世物小屋の道具立てのようだ。牧野信一を「坐ったままのハイカラ」だと三島由紀夫は言ったが、それに倣えば、初期谷崎小説などは下駄をはいたままのハイカラなのだ。従ってこんな議論に大真面目に付き合ってみる気はとうてい起きない。要するに芸術論そのものではなく、芸術論があったというだけのお話なのだ。まさに、三島由紀夫が自作について言った、「さまざまな屁理屈は、作品にとってまったく重要でない」（前出「あとがき」）ということだろう。

　であるのに、と私には思われるが、ここでの三島由紀夫は、何故だか大真面目、真剣でさえある。そうして、谷崎潤一郎は、折角「金色の死」のような芸術問題、美の「最終保障」はどこにあるかという問題を立てながら、結局はそこからは逃げてしまったと、責めている。

　言葉と肉体との絶対的二元論を脱却しようとすれば、人は肉体の死を志すほかないのではなかろうか。

　芸術においては、ことばによって創り出された世界がすべてであって、ペンを持っただけの肉体などは問題にならない、どうでもよい存在にすぎない。そして、そういうことを実証するためは自分の肉体を棄ててみせる、それが芸術的実践だ、ということになろうか。

　これが小説「金色の死」の論理の必然であり、これに従って作者は主人公を一度は死なせたはずである。「自己証明が必ず自己破壊にゆきつくところの、筋力の特質」ということばが「太陽と鉄」にはあった。

　だが、そうであるのに、作者はその後、主人公の芸術論を突き詰めることなく、主人公を見送った友人の方に身をずらして生き延びてしまった、と三島由紀夫は言う。

　「金色の死」を否定したことにより、谷崎氏は、自己の芸術的方法の根本矛盾に目をつぶり、その背理をおしすすめる未聞の方法へ触手をのばすことなく、日本独自の、あの写実主義と装飾主義の折衷ともいうべき伝統的背理を利用して、そこに悠々たる芸術境をひらくのである。

　この谷崎潤一郎論が発表されたのは昭和四五年四月（「新潮日本文学」6）である。書かれたのはいつであったか厳密なことは分からないが、この文章が人の目に触れたのは、三島由紀夫の、あの死の半年前であった。右に引いたような谷崎評が肯綮に当たるかどうかは大いに検討の余地があるだろう。しかしこの谷崎論が、「太陽と鉄」を押し進めて、あの死を含めた三島由紀夫自身の文学論を語っていることは間違いないように思われる。

　その最期に近い頃、自身をモデルにした写真集の出版にこだわっていた三島由紀夫のエピソードを横尾忠則が伝えているが（「男の死」）、そんなところにも「金色の死」の主人公の影が映っているのは間違いないだろう。三島由紀夫は、その美の永遠のいのちのために、彼流の「金色の死」を実践してみせたわけだ。

（文芸評論家）

三島由紀夫『作家論』——林房雄

副田賢二

三島が林房雄の文学を高く評価していたことはよく知られているが、『作家論』（一九七〇・一〇　中央公論社）でも、林房雄論は全二四九頁の七四頁を占めている。各評論の分量は初出媒体の偶発的事情にも左右されるので、それを三島の意図として過大に評価すべきではないが、『作家論』という書物において林をめぐる論考が重要な位置を占めていたことは、やはり最初に確認しておくべきであろう。同書所収の林房雄論は、まず「林房雄論」として『新潮』一九六三年二月号に書き下ろしで掲載され、同年八月に新潮社から『林房雄論』として刊行された。その巻末には林が作成した「林房雄年譜」も掲載されており、同書は三島と林の合作という性格を持つ。中央公論社版『作家論』所収の作家評論は、『日本の文学』『現代の文学』『日本文学全集』等の名作全集シリーズや作家全集の解説・月報を初出とするものが多い。三島も『作家論』のあとがきで、「本書に収めた作家論は、既刊の林房雄論を除いて、すべて各種の文学全集の解説として書かれたもの」と説明し、「私はそもそも近代現代文学が解説をたよりに読まれるといふ風潮を好まない」と表明した上で「かういふ好ましからぬ風潮を逆用して、一つは、改めて諸家の名作を自ら再読翫味する好機を得、一つは、解説の名を借りた作家論を積み重ねてゆく機会を得るために引受けた」と述べている。「ぢかに作品に喰ひついて、諸家の作家的特徴を、作品を通じて浮び上らせること」を目指した『作家論』は、各作家のテクストへの三島の読解を示すのみならず、その作家たちの歴史性を、三島自身が「戦後文学」のコンテクストの中でどのように認識し、位置付けているのかを総合的に展覧させる戦略的試みであった。その論述対象となるのは明治期から一九六〇年代までの作家で、対象テクストも多種多様だ。それらの表現世界を「再読翫味」する鑑賞的姿勢を見出すことは当然可能だが、同時にそこには、敗戦という断層を抱えた「戦後文学」をめぐる言説の現場において、それらのテクストが敗戦後にどのようにその相貌を変化させ、新たなコンテクストを帯びるようになったのか、その動態を観測するようなまなざしが見出せる。

　そのような「戦前／戦後文学」作家とそのテクストの受容／消費の歴史性を最もラディカルに具現化した存在として三島が捉えているのが、林房雄であった。新潮社版『林房雄論』巻末の「跋」で三島は「林房雄論を書きたいと思つてから、四、五年にもなる。準備に一年かけて、林氏の重要な作品をゆつくり精読しようとしてゐるうちに、この評論を発表するつもりでゐた同人雑誌「聲」がつぶれてしまつた」が「「新潮」の厚意で、発表の場所を与へられ、やうやく書き出すことができた」と述べている。『聲』は、三島を含めた多くの作家・評論家を編集同人にして「書きたいものを、書きたいときに、書きたいだけ」（創刊号巻頭言）書く雑誌として一九五八年一〇月から刊行されたが、一九六一年一月で廃刊となった。「林房雄論」はその『聲』への掲載を前提に構想されたもので、その面でも、『作家論』所収の他の作家評論とは位相が異なっている。

　それが一転『新潮』に掲載されたのだが、『新潮』も、特に一九二〇年代以降は「文学」概念を構成する言説空間として文芸時評や作家論の場になってきた歴史性を抱えていた雑誌であり、一九四五年一一月の復刊後も多くの文学評論が掲載されていた。そのような敗戦後の『新潮』に掲載された林のテクストは、一九四九年九月号の「小説　現代風流冒険譚　武器なき海賊」、五〇年三月号「人類と敵」、七月号「息子の入学」、一〇月号「自画像」、一九五一年三月号「吾が楽観」、一九五二年一～七月号に「現代の結婚」連載、五三年二月号に「菅原小説製作所」、一〇月～五四年一二月に「文学的回想」を連載している。五五年一月号に「胡蝶の夢」、八月号「人生とは」、一二月号「「処女選集」の夢」の後は掲載頻度が減り、五七年二月号「背徳の楽しみ」、五九年四月号「五十代の文学観」、六〇年三月号に「隠居の言葉」が掲載、一九六一年二月号に「テロリズムの幻想」、六二年一月号に「狂った翼」、同年四月号に小説「株」、一一月号「考える晩年」、そして一九六三年一月の新年特大号に、三島が「林房雄論」の最後で取り上げた小説「老人」が掲載された。

　その言説の性質は様々だが、一九五〇年代後半以降は、自身の年齢とその「隠居」性を強調するような言説が多く掲載されている。つまり『新潮』及び林自身が、最先端のラディカルな文学の場から身を退いた老作家が回顧的・備忘録的に自らの作家的主体とその文学歴を語るという、いわば老いた「隠者」的存在としての「作家・林房雄」像を形成しようとしていたことが窺えるだろう。一九六三年二月の「林房雄論」の背後には、『新潮』誌上でのそのような「作家・林房雄」像の創出とアレンジメントがあった。

実際に三島と林は、『新潮』一九五一年一月の別巻掲載の座談會「人生問答　久米正雄・林房雄・三島由紀夫」で対談している。冒頭で久米が「今日は老年、中年、青年というわけだな」と話し、林は「ぼくは中年代表か」と発言している。その後、ジャン・コクトーの話題から三島が、コクトーは「やはり名優ですね。日本の芸術家には俳優の要素が非常に少いですね」と日本の芸術家の演技性に話が及び、林は「芝居はしてませんね。ぼくにはアクターの要素は非常に少い」と自己認識を語っている。さらに市民性と作家性の話題で、林は「少くとも静かな晩年が欲しい。小さな家でもいいから、海岸にたてて、魚でも釣つて暮したいよ」と語り、久米は「つまり隠居だな」と受けている。ここでも、円熟する「中年」から隠者的「老年」へと志向する「作家・林房雄」像が示されている。それに対し「青年」である筈の三島が「自分で自分を眺めたり、眺めている自分が行動しておるのをまた眺めたり、始終反芻作用をやつていなければならぬということで、一人で二役ですよ」と自らの逆説的な「老年」性を確認して終わっている。林の作家像の構築に深く関与した久米と三島によるこの座談会と「林房雄論」とは時期の隔たりがあるが、「青年／中年／老年」という世代的主体像は、林が「青年」（『中央公論』一九三二・八、一一、一二、一九三三・八）と「壮年」（同、一九三五・四〜八）で展開した主体像のフレームと重なるものであった。この座談会もそれを踏まえているのだろうが、被占領期末期の言説空間にそのような主体像が再召還された点は注目すべきであろう。まさに林は、三島と共にその主体像を「アクター」として演じていたのだ。

　雑誌メディアの場における作家間でのそのような「作家像」の相互的演出の一方で、三島自身は、林という存在が持つ無自覚な煽動性を常に注視していた。新潮社版『林房雄論』の「跋」では、自らの執筆動機を「一つには林氏に対する世間の偏見への義憤であるが、一つには林氏の問題性をめぐつてあれこれと考へてきた自分の青春の整理のためでもあつた。心情と思想との微妙な関係は、久しく私の念頭を離れなかつた問題であり、又、大きくいふと、私の考へた日本および日本人の問題でもあつた」としている。ここからは、その執筆動機が、敗戦後冷遇された林への共感と擁護に留まらず、三島の作家的自己像の確立における想像力の領域に深く喰い入るものであったことが窺える。特に、敗戦という事態を自身の内部で意味付け、その戦後的「復興と繁栄」に対する自身の批評的スタンスを確立する上で、林を論じることは不可欠な条件であった。

　それでは、まずそこで三島が述べている「林氏に対する世間の偏見」の内実を、昭和戦前期から一九六〇年代初期までの批評言説を検証して確認したい。そもそも林房雄という存在は、小説家であると同時に、外的状況に応じた自己の劇的な変貌を厭わない「転向」者かつアジテーターであった。その作家的記号性は、プロレタリア文学者、「転向」者、〈獄中〉者、モダニズム作家、歴史小説家、「近代の超克」の一員、中間小説家と多様に展開し、その度に文壇内でその言説と存在が浮上してトピックス化された。また、その実際の創作内容や表現に関する一般的認知度は低いが、批評家や「目利き」の作家たちには奇妙なほど高く評価されるという特異性を抱えた作家でもあった。一九三〇年代初頭には浅原六朗に「時代の尖端が生んだ兒」「新鮮にして愉快な存在」（「時代の尖端兒・林房雄論」『雄弁』一九三〇・一二）と評され、モダニズムのモードとともに「マルキシズムと、アメリカニズムの混血兒」（浅原）として注目される。林自身もその自らの記号性を駆使して「都会双曲線」（『東京朝日新聞』夕刊、一九二九・一〇～一二）や「青空」（『婦人之友』一九三二・一～一二）等のモダニズム的現代小説を書いている。さらに、「青年」の読後感として「これが林房雄だといふ言葉で僕の心は一杯になつて了つた」「君の子供らしい笑顔に、僕は君のもつとも醇乎たる性質を見る様に思ふ」と小林秀雄に激賞され、そこに「張り切つた青年の心」を見出され、「寧ろ描いた作者が青年なのだ」（「文芸時評―林房雄の『青年』」『文藝春秋』一九三四・六）と断言される「作家・林房雄」は、「懐疑も渋面もない、感傷もない、あの底抜けの明るさは深く僕を動かした」と次作を待望され、その存在は清新で無垢な「書くこと」の主体として意味付けられた。「一見、嘘のやうにからりと晴れた空の色を持つてゐた」（三島「林房雄論」）と評されるその存在と文体の人格的クラリティゆえに、林は同時代言説空間の内部で次々と形を変え、その様々な層に混じり込んでゆくことができたのだ。「勤皇の心」（『文学界』一九四二・一〇）も、「意味不明の呪文のような言語の氾濫」（伊豆利彦「「近代の超克」の周辺―林房雄「勤皇の心」と『青年』―」『日本文学』一九九一・三）する「近代の超克」の言説空間の内部で、自己告白的な文体と感傷性において自らの作家的記号性を総括し、ヴァルネラブルな作家主体としての自己像を露出している。

　敗戦後は、「中間小説」作家として『白夫人の妖術』（一九四八、扶桑書房）、「息子の青春」（『文藝春秋』一九五〇・六）、「息子の縁談」（『朝日新聞』一九五四・五～八）等で世俗的成功は収めていたが、「戦後文学」の中での自らの位置を見定めることはできていなかった。三島も「林房雄論」で、自分は敗戦後の林の「家庭小説」の「よい読者ではなかつた。私は氏がふたたび、氏の本質的な主題に立ち戻る日を待つてゐた」と述べている。「戦後民主主義」にうまく適応するように立ち回れず、と言って典型的翼賛作家という記号性を強力に保持している訳でもない曖昧な林の作家性は、敗戦後の言説空間の中に浮遊していた。

ただ、一九五〇年代になると、様々な批評や言及が林に向けられることになる。先述した座談会の同年の一九五一年八月の『群像』には、「現代作家論」として花田清輝「林房雄」が掲載される。そこで花田は、林の戦後の「「俗物」としての再出発」を「かれの完全な「転向」」と捉え、その俗物性ゆえに当時の文学者達は林の文芸時評を「非難は、讃辞として、讃辞は、非難としてひびく」という顛倒の下に受容したと語っている。林自身も「自画像」(『新潮』一九五〇・一〇)や「菅原小説製作所」(同、一九五三・二)で、そのような「作家・林房雄」像をパロディ化していた。また、『新潮』一九五五年八月号の今日出海「林房雄について」は、「社会主義者として出発したゞけに、社会主義に早くから育てられた申し子みたいなところは容易に消えるものではない。彼の時代に対する洞察力、時代の動向を嗅ぎ当てる感覚、そしてその分析力は私は夙に舌を捲いている」として「英雄豪傑の如く大きな肩を怒らし、訥々として語るところは一種粗大の感じを受けるが、感覚が鋭敏で、繊細な神経は驚くばかり」だが、「勢いの激しさ」ゆえに周囲は「彼と喧嘩するか、遠ざかつてしまう」と述べている。さらに「林のあるところ風雲の起らぬことはなかつた」「転向すれば一夜にして転向」し「一度転向すれば彼は過ぎ越し方を顧みない」「彼の場合易々としてやつてのけるように思われるので様々な誤解が生じる」として「彼ほど誤解に包まれ、誤解で損をしたり、或は得をして生きて来た作家は稀」とする。「同人雑誌を起したり、度々文学運動を提唱」して「清新の風を吹き入れ、活発にその先頭に立つてパイオニアの役割を果した功績は大きい」が「漸く人々がその運動に注目する頃、先頭の彼が既に何処かに行つているのが常である」「最も集団活動を愛し、集団の中に突入しながら、集団の中に永居のできぬ理論家であり、実行家である」としている。そのように、アジテーターとしての特質とその「転向」的身のこなしの非戦略性を強調されることで、林に無垢な作家主体を見出すまなざしは敗戦後もそのまま維持されることになった。

また、雑誌メディアでの作家像の視覚的構築という面でも、林は頻繁に消費されていた。この今日出海の評論の前に置かれた「作家の二十四時」というグラフ記事では、書斎で孫の写真を眺め、小川で手を洗い、アロハ姿で三味線を弾き、釣堀で釣りをする林の写真が掲載されている。そこからも、児童的で「無垢」な「作家・林房雄」像が要請されていたことが窺えるだろう。一九五五年五月の『小説新潮』には福田蘭童「万年童顔の林房雄さん」、同誌の同年一〇月号には、大分でくつろぐ林を撮影した口絵グラフ記事「作家故郷へ行く」と共に「故郷美人多し」という林の文章が掲載されており、まさに「無垢」な「俗物」としての作家像がそこで構築されていたことが窺える。

　ただ、思想の科学研究会編『共同研究・転向』上巻（一九五九・一、平凡社）所収の鶴見俊輔「後期新人会員―林房雄・大宅壮一―」において、「偽装転向からほどとおい」一九二〇～五〇年代の林の転向の特徴が、『浪漫主義者の手帖』（一九三五、サイレン社）、『獄中記』（一九四〇、創元社）、「勤皇の心」、そして戦後の『文学的回想』（『新潮』一九五三・一〇～五四・一二）の言説と行動を中心に観測されたことにより、林の存在は戦後思想史研究の場で光を当てられることになる。同じ五九年一一月発表の竹内好「近代の超克」（『近代日本思想史講座』7、近代化と伝統、筑摩書房）には「近代の超克」での林の役割に関する言及はほとんどなく、そこでの林の位置付けが困難であったことが窺えるが、主体のドラマとしての「転向」と戦時下の言説共同体をめぐる研究がそのように出揃った状況の中で、先述したように林と雑誌メディアは、「作家・林房雄」を「隠居」化し、その「晩年」性を演出するような志向を示していた。そこでは、戦前期から林に見出されていた「青年」的無垢と無謬という記号性を、そのデザインを反転させた表象としての「老年」において擬態的に再生させようとする欲望が発動していたと考えられる。三島の「林房雄論」は、その状況下の一九六三年二月の『新潮』に発表され、同年八月に単行本化されたが、その直後に「大東亜戦争肯定論」（『中央公論』一九六三・九～六五・六）の連載が開始され、「戦後民主主義」への林のルサンチマンの表明と逆襲が展開されることになる。三島の「林房雄論」は、まさにそのような林の戦後的な身のこなしと相補的なテクストであることを確認しておくべきであろう。さらにその背後には、『共同研究・転向』の転向論が林の「戦後的再評価」を喚起したことへのアンビヴァレントな三島の意識も介在していたと考えられる。林房雄論に限らず、『作家論』所収の作家評論は、安定した視座から文壇を歴史的に俯瞰するという種類の言説ではない。新潮社版『林房雄論』の「跋」で表明された、その執筆動機としての「自分の青春の整理」は、「青春」的な不安定で非合理的な感性領域への没入において文学的営為を展開してきた林固有の作家的様態と深く重なるものであり、それは三島にとって実践的な命題であった。三島自身、「戦後民主主義」の中でしたたかに振る舞いつつ、自らの本然的なあり方を求め彷徨う過程において、林の「青春」性は恰好の道標であった。

　それでは、実際の「林房雄論」はどのような射程と欲望を抱えたテクストなのだろうか。以下、その内実を検証したい。まず冒頭で、初対面時のエピソードから、「私がもともと文学的興味から氏へ近づいて行つたのではない」こと、それが「私の未熟な短篇をとりあげて褒めてくれた」「世間から一人前扱ひをされてゐないまだ学生の私を、一人前の話相手として扱つてくれ、氏独特の若々しい率直さで附合つてくれた」からと述べる。ここでも「若々し」さが林に固有化され、そこに感応した自身の姿が映し出される。一九六六年一〇月刊行の林との対談集『対話・日本人論』（番町書房）でも三島は「あれは、ある意味では三島由紀夫論ですからね。林さんに対する僕の投影でもあるし」（第四話　日本文壇と文学）と述べている。「林房雄論」では、この「悪名高い船長」が敗戦直後の「激変する時代を乗り切らうと大胆な取舵を取り、しかも今までの何度かの取舵や面舵とはちがふ、かつてない孤独な状況において、右にも左にも岩礁の露出する海峡を、強引に渡つてゆく姿」に「動的な魅力」を感じたとする。そこから「私にとつて解きがたい謎」となった林の「孤独」の根源的要因として、「自分の中に思想を貯へることが不得手で、その貯へた思想をうまく使役することが不得手」な「林氏の誠実」と「深い懐疑の形式」があったとしている。「思想を体現し、思想そのものに成り変ることこそ、林氏の見果てぬ夢であつたが、氏の直観はおそらく最初から、こんな体現の不可能をわきまへてゐた」として、そこに「氏のニヒリズムの深い根」があり「氏独特の、すでに氏自らが思想を体現したとしやにむに信じ込まうとする身振り」がそこで始まると評する。このような自己実現の欲望と実人生のパラドックスの主題は、『葉隠』に対する三島の批評的スタンスとも共通しているが、三島はそれを林の文学的営為の根幹に据える。「これらの思想不信ともいはばいへる心的機制が、転向によつてはじめてあらはれたと考へるのは妥当ではな」く、「氏の話術のこのやうな特徴は、氏の文体と深い関はりがあり、その証跡はプロレタリヤ文学時代の初期作品から、仔細に見ればすでに歴然とあらはれてゐる」とする。「決して告白をすることのできない作家」としての林房雄観は、「告白」というフレームを戦略的に用いた三島の戦後の方法性と対照されたものであろう。「この奇妙に明るくて、奇妙に不安な特質」に林の作品の魅力があるとして、「日本の知識人の歴史などとは何の関係もないところで成立ちうる」『獄中記』の「美しさ」を賞賛し、「自分を好んで誤解に委ねつづけ、人の嫌ふものに自分を似せようと懸命になり、一等下手に、といふことは一等生まじめに通俗性を利用し、つひには自分の誠実を人に伝へることを断念しかけ、かつて政治の中に発見した虚無を、今一息で芸術の中核に据ゑようとして、なほ据ゑかねてためらつてゐる悲劇的な作家」の姿を見出している。

　このような林房雄像は、三島の自己反照的「投影」と、昭和戦前期から構築されてきた、無垢で無謬な主体を欲望されるスクリーンとしての「作家・林房雄」像とのキメラであった。そもそも、三島が『獄中記』や「鉄窓の花」（『文藝戦線』一九二七・四）について「氏の才能は、獄中にあるときに、ふしぎとそれ自身の言葉を呟く」と評したように、林は同時代の記号空間と密接に融合し、その内部に棲息した書き手であった。三島は、林における「北九州の美しい自然の風光と、幼年時代の自然との詩的融合」が「自分と世界との完全な対立感情、世界に対する直接的孤立を味はふため」の阻害要因となったとして「牢獄はむしろ、このやうな孤立を味はふには最も不適当な場所である。獄中の氏は必ず自然へ、氏の才能の母胎へと帰つてゆく」とする。「絶対的孤立を知らぬ「世界との親和感」」を語る作家としてのこの林房雄観は、三島自身が「自分と世界との完全な対立感情、世界に対する直接的孤立」を文学的根源としたゆえのものだが、そこで三島は、林の創作と〈獄中〉との融和性・相関性を的確に指摘する。林自身も、「文学的回想」の第五回「獄中の記」（『新潮』一九五四・二）で『獄中記』の本文を頻繁に引用し、その読書空間のリアリティを再現しようとしている。他の「文学的回想」とは異質なその記述を見ても、林にとっての〈獄中〉は、自らの作家としての基本態と切り離せない、まさに「世界との親和感」の場であったことがわかる。三島は、林の作家的本質を解明する契機を初期短篇以降の表現に追い求め、「革命の詩とニヒリズムとのあひだを、たえず不安定に浮動」し「「民族的な夢」を通じてしか、現実と接触する道を見失ふ」姿を見出すが、それこそが「青年」の「異様に鮮明な非歴史的な現代性を、保証する力」となったとする。

その後『獄中記』の〈獄中〉主体像とその文体を分析し、「本質的な孤独が存在しない」中で「世界との親和感は、つひに絶たれることなくつづいて行く」とする。『獄中記』第一部の後半に林自身の「転向」の心的機制の内実を見出しつつ、それは「告白の端緒をつかむだけで終つた」が、「転向に就いて」（『勤皇の心』〔一九四三、創元社〕所収）でようやく「告白」に直面すると指摘する。「誠実に反省し誠実に告白してゐる」が「転向の問題を拡大しすぎ、精神史的に普遍化しすぎてゐる」として、「氏は、政治におけるエモーショナルなもの、政治的心情の詩が、はじめて恰好な時代と対象を得たやうに感じたかもしれない。日本はそのとき、日本自身を夢みてゐた」と述べる。戦時下の林を「狂熱的な否定、純潔を誇示する者の徹底的な否定、外界と内心のすべての敵に対するほとんど自己破壊的な否定、……云ひうべくんば、青空と雲とによる地上の否定は、林氏の心を魅し去つた」と断定する背景には、戦時下のディオニュソス的熱狂の内部に「詩」を見出そうとする三島の欲望があるのだが、林の場合は、その「否定」衝動を正当性の側に反転させる状況に、彼があくまで偶発的、無目的的に遭遇した、とされることで、その主体の無謬性がさらに保証されることになるのだ。そのレトリックには危うさがあるが、その危うさこそが「林房雄論」の前提であった、という構造がそこには存在している。

その上で三島は「青年」を絶賛するのだが、そこで特徴的なのは、これらの昭和戦前期のテクストに、敗戦後の日本社会の予兆を見出していることだ。「維新の心」（『勤皇の心』〔一九四三、創元社〕所収）の「『維新の心』といふものは非常時の心ではありません。日本人の平常心であります」の一節に戦慄する三島は、「青年」の「開国」は結局外国艦隊の砲声によつて、予期せざる形で成就される」というモチーフの予言性を強調する。その後、「壮年」の様々な挫折について語った後、敗戦直後の林は「当時の私にとつて必須な、二重影像《ダブル・イメージ》」「時代の挫折の象徴としてのイメージと、私が範とせざるをえぬしぶとく生きつづける俗悪さのイメージ」であり、「或る時期を、たしかに私は林氏の影像によつて生きた」と断言する。文壇では無視された敗戦直後の「妖魚」（『小説と読物』一九四六・八）、「失はれた都」（『小説と読物』一九四七・一）、「四つの文字」（『新小説』一九四九・一二）を「生涯はじめて、本当の孤独に直面した人だけの書きうる作品」と評価し、特に「四つの文字」において「思想を体現すること」の「不可能を知り、その見果てぬ夢を捨てたときに、氏はやうやくその芸術的創造に成功した」とする。そして、「老人」（『新潮』一九六三・一）を「氏のもつとも新しい回帰の物語」として論じ、「どうせ無効にをはることのわかつてゐる熱情の連環」と「青年の烈しい「詩」の連環」を語る際に迸る「一等高度のリリシズム」を見出している。

「氏はもつともつと「青年の仕事」をすべき人である」の一行で閉じられるこの「林房雄論」は、林への三島の自己投影であるのみならず、「青年」という領域を煩悶と自己決定性の欠如として描き続けてきた近代日本文学の系譜を相対化し、非・文学的な「青年」＝無垢と狂熱を抱えた扇動的主体像の系譜を文学史の内部に創出させようとする試みでもあった。文学史上の傑作を賞翫、発掘し、その「美しさ」を作家固有の文体と身体性に見出してゆく批評のパターンはこの「林房雄論」にも具備されているが、その美学的視座を逸脱するような実践への性急な志向が、そこには内包されている。そこで三島は、林房雄という作家が一九二〇年代から高度経済成長期までに残したクロニクルを、戦後的言説空間の内部であえて異化的に「場所」化しようとするのだ。それは、「戦後民主主義」と「戦後文学」の言説空間に再び「作家・林房雄」という空白の磁場を起動させようとする、オルタナティヴとしての文学史構築の試みであったが、それは三島個人の美学的な営為のみに還元されるべきものではない。その背後には、「作家・林房雄」をめぐって構築され、夢想され、捏造されてきた、近代日本における「文学」のいびつな歴史的身体が横たわっているのである。

（防衛大学校　教授）

※本稿はJSPS科研費20K00361の助成を受けたものです。

寄稿

三島由紀夫は「女系天皇」を「容認」していたか？

篠原　裕

高森明勅氏のブログ「今昔物語」（令和二年一一月二一日）に、『「楯の会」憲法草案の〝謎〟』が掲載された。

実は、私は令和二年一一月一日付で、「三島由紀夫は『女系天皇』を『容認』していたか」と題して、鈴木邦男氏の『遺魂』での主張に対し、毎日ワンズから出版された四冊と「楯の会の憲法改正草案」を基に検証し、小文を著し、ある会合にて参考文書として配布した。文中、松浦威明氏の証言を基に、約一〇年ほど前の高森氏の言動にも言及したが、今般、ブログにより氏の考えが明らかになったので改めて既小文を編集して氏の見解に反論したい。なお氏のブログも、主に『遺魂』及び毎日ワンズからの四冊に基づいているものと思われるので、鈴木氏に対する反論と共通する所が多い。以下氏のブログ全文を再録する。

三島由紀夫が結成した「楯《たて》の会」（隊長は三島自身。かの「三島事件」は、別名「楯の会事件」とも呼ばれる）。同会では、独自の憲法改正草案を作成すべく、憲法研究会（阿部勉代表）を組織していた。同研究会がまとめた改憲草案の「おおむねの内容」（の一部？）は、後に公表された（平成一五年、松藤竹二郎氏によるのが最初か）ものの、さほど注目されていないようだ。取り立てて言及されたのは鈴木邦男氏くらいだろうか（鈴木氏は、阿部氏から草案を託された同じく元・楯の会メンバーの本多清氏らへの取材もされた）。

「三島メモ」を元に、研究会メンバーが討議を重ねてまとめたという同草案（の「おおむねの内容」）は、失礼ながら、私が読んでも完成度は必ずしも高くないように思える。しかし一点、「天皇」の章に見える次の条文案は、見逃せない。

「皇位は世襲であって、その継承は男系子孫に限ることはない」現行皇室典範にある〝男系男子〟の縛りを、明確に（！）撤廃している。

今から半世紀前の草案であることを考えると、驚くべき慧眼《けいがん》ではあるまいか（私が「男系男子」限定の無理さを指摘し始めたのはおよそ四半世紀前）。

公表された内容の全体に亘《わた》る文体の稚拙さ（をはじめ様々な未熟ぶり）は、とても三島自身の手になるとは思えない。

明らかに、メンバーが手探りで書いたものだろう（主な執筆者は若き日の阿部氏?）。

しかし一方、少なくとも同条の内容は、そのユニークさから、三島以外の研究会メンバーが独自に思い付いたとは、にわかに考え難い。

又、同条文を巡る研究会の討議でも、メンバーは戸惑いを隠せなかったようだ。

従って、これは（文章化が誰であれ）三島自身のアイデアだったと考えるのが、自然ではあるまいか。

実はこの点について、自分でもなかなか確信が持てなかった。なので以前、「憂国忌《ゆうこくき》」の事務局を預かる三島由紀夫研究会の依頼で講演をした時（平成二一年一〇月）に、会場に当時の三島由紀夫記念館の館長をはじめ、三島研究の専門家の方々が多数、来ておられたこともあり、講演の途中で少し異例ながら、私の方から〝どう判断すべきか〟、会場の皆さんにお尋ねしたことがあった。

だが、残念ながら、その場ではハッキリとした答えは得られなかった。よって、今は取り敢えず、三島自身の着想だったと見ておこう（同研究会の代表だった故・阿部氏とは生前、いささかご縁があり、同草案が公表される前に、酒席などで何度かご一緒させて戴いた。だが残念ながら、同草案について話題になった記憶は、無い）。

同草案がまとめられた頃、皇室には昭和天皇以外に、上皇陛下（当時は皇太子）をはじめ、多くの男性皇族がおられた。

だから、「男系男子」限定というこれまでのルールを変更する必要があるとは、ほとんど気付かれていなかったはずだ。

そうした中で、「男系男子に限ることはない」という改正草案を思い付くとは。

やはり一種の天才的な閃《ひらめ》きだろうか。もっとも、これより更に以前、現在の皇室典範で、「非嫡出」による皇位継承の可能性が排除されたことを受けて、葦津珍彦氏が次のような指摘をされていた。

「女系を認めず、しかも庶子（非嫡出子→引用者）継承を認めないと云ふ継承法は無理を免れぬ」（『天皇・神道・憲法』昭和二九年刊）と。

葦津氏は、その「無理」を解消する為に、「庶出（非嫡出）」による継承の復活を唱えられていた。

あるいは、三島はこれを読んで、（葦津氏が唱えた）非嫡出による継承の復活は至難と自ら判断して、上記のごとき条文を思い付いたのだろうか。

葦津氏の著書は当初、「神社新報社・政教研究室」名義で出版された一方、三島は長編小説『鏡子の家』（昭和三四年刊）執筆の為に、神社新報社の関係者を取材していた事実がある（たまたま、その取材を受けた関係者の子息が、私の学生時代からの友人）。

ならば、三島が上記の書物を読んでいた可能性は、想定しやすい。

しかし、たとえそうであったとしても、前出条文を着想した先見性、洞察力の卓抜さは、目を見張るものがある（これにもし、三島本人が関与していなければ、もっと驚くべき事実だが）。

拙論は以下の通りである。

『維新と興亜』（崎門学研究会・大アジア研究会合同機関誌）令和二年八月号に、玉川博己氏による「三島由紀夫と天皇論」という論考が掲載された。同論考中には「…鈴木氏の着眼が鋭いと感じたのが憲法論に関して三島由紀夫が女系天皇を容認していたことの紹介と……」書かれていた。

はたして三島氏は、「女系天皇」を「容認」していたのであろうか、以下検証する。

方法は、玉川氏の論考の基となつた鈴木邦男氏の『遺魂』、その基となつた『血滾る三島由紀夫「憲法改正」』等毎日ワンズから出版された四冊及びその基となつた三島氏の『問起題提（日本國憲法）』、楯の会・憲法研究会の『討議記録・日本改正案』等の比較検討による。

昭和四四年一二月、自衛隊の訓練の後、三島由紀夫から、楯の会としての憲法改正案の準備に取り掛かるようにとの指示があり、楯の会有志一三名による「憲法研究会」が組織された。その討議のたたき台として、三島隊長は、昭和四五年一月初頭、（一）新憲法に於ける「日本」の欠落（以下「第一問題提起」）、その後（二）「戦争の放棄」（以下「第二問題提起」）について、そして昭和四五年一一月初頭頃に（三）「非常事態法」（以下「第三問題提起」）についてと三回にわたり『問題提起（日本国憲法）』を執筆した。憲法研究会はその「問題提起」に基づき三四回の討議を重ね、事件後の昭和四六年二月に討議を終え、班長の阿部氏は討議記録を「日本改正案」（以下『討議記録・日本改正案』）として、四百字詰め原稿用紙二二〇枚にまとめた。（『三島由紀夫全集三四附録 NO三四、三島隊長の『問題提起（日本國憲法）』」による）

阿部氏の死後、『討議記録・日本改正案』は楯の会一期生で憲法研究会メンバーであった本多清氏に託され、毎日ワンズから『血滾る三島由紀夫「憲法改正」』（平成一五年一二月八日、松藤竹二郎著、以下「第一弾」）として紹介された。毎日ワンズは第二弾として『日本改正案・三島由紀夫と楯の会』（平成一七年四月二九日、以下「第二弾」）を、第三弾として『三島由紀夫「残された手帳」』（平成一九年七月一九日、以下「第三弾」）を、更に第四弾として『天皇に捧ぐ憲法改正』（平成二五年八月二九日、以下「第四弾」）と、計四回にわたって『討議記録・日本改正案』について紹介、出版を重ねた。

なお『問題提起（日本國憲法）』は、『三島由紀夫全集』（新潮社）のほか、編集されてはいるものの、上記毎日ワンズ四冊すべてにほぼ全文が掲載されている。また拙編著『三島由紀夫かく語りき』（平成二九年四月、展転社）に一部（第三回問題提起「非常事態法」）省略して掲載した。

さて、玉川氏が「三島由紀夫女系天皇容認論」が「紹介」されていた、としたのは『遺魂』（平成二二年八月一五日、無双舎刊、鈴木邦男著）の中の「第二章　三島は何を考えていたか」（以下『遺魂』）のことである。鈴木氏は、主としてこのシリーズから引用、三島氏の「女系天皇容認論」を構成、執筆したものと思われる。それでは、『遺魂』にはどのように紹介されているのか、少し長くなるが以下引用する。

皇位は男系男子に限ることはない

……これも「予言」だ、近い未来、そんなことが論じられる時代になるぞ、と見越している。他にも紹介したい点はあるが、ここでは「女帝」にしぼる。では、どんな文脈の中で女帝が出てくるかだ。もちろん天皇の条項だが、全体的には伝統的というか、かたく、古い。その中で「女帝」が出てくるから、そこだけがちょっと異様に見える。まず、「三島メモ」の天皇の条項から紹介しよう。

【天皇】

天皇は国体である

天皇は神勅を奉じて祭祀を司る

皇位は世襲であつて、その継承は男系子孫に限ることはない

（以下一〇項目省略）

「三島メモ」は三島の改憲に対する考えが集約されて入っている。完璧なものだ。これを基に、「さあ討論しろ」と言われても学生たちも荷が重かったろう。ついでに、【国防】と【非常事態法】にも天皇が出てくるので紹介しよう。

【国防】

日本国軍隊は、天皇を中心とするわが国体、その歴史、伝統、文化を護持することを本義とし、国際社会の信倚《しんい》と日本国民の信頼の上に建軍される。

【非常事態法】（略）

三島は、ここでは「女帝」「女性天皇」という言葉は使っていない。だが、「皇位は世襲であつて、その継承は男系子孫に限ることはない」と、はっきり書いている。女帝は認めるし、その女帝の子供が天皇になることも認めている。また、後で紹介するが、「楯の会」の「憲法研究会」のメンバーも、討議の中で、「女帝」という言葉を頻繁に使っている。だから三島も言っていたのだ。（略）

女帝容認論に「楯の会」でも異論続出

「三島メモ」を読んだ時、古いな、と思った。「国体」「国体を護持」「神勅」「顧問院」「統帥権」……と、古い言葉だ。古色蒼然とした感じがする。自民党を始め、今、改憲を考えている人でも絶対にこんな言葉は使わない。だからこそ、「その継承は男系子孫に限ることはない」の部分だけが、異色だし、キラキラと輝いて見えるのだ。

でも、学生たちは困っただろう。どう対応していいか分からない。四〇年以上も前だ。女帝なんて言う人は誰もいない。なのに三島は女帝を認める「草案」をだしてきた。「三島先生は一体、何を考えているんだ」と思った学生も多かった。その困惑ぶりが、ちゃんと資料として残っている。だから貴重なのだ。

「憲法研究会」の代表・阿部勉氏は毎週水曜日の研究会の時、テープをとり、それを原稿にして三島に見せている。それを松藤さんは本多氏から預かって読んだ。そして第二弾の本『日本改正案・三島由紀夫と楯の会』（毎日ワンズ）の中で紹介している。

「女帝については自分はどうも疑問です」と素直に言う学生もいる。いや、大半は、どうもそのようだ。いくら三島先生の言われることでも、どうもこれは、と疑問に思ったのだ。それを素直に言っている。自由に討議している。驚くべきことだ。「遠慮なくやれ」と三島もハッパをかけていたらしい。（略）

「憲法研究会」は「楯の会」の学生一三人で構成されている。しかし、討議記録では、各人の名前は出ていない。三島に後で見せるのだし、名前を出すと発言にも遠慮が出る。そう思ったからだろう。ただし、代表の阿部氏だけは名前がでている。（※『討議記録・日本改正案』は発言者の実名が記載されている。毎日ワンズでは事情を考慮、仮名にしたのだろう。但し、「第四弾」は実名となっている。）また、三島が出席していないので、「三島メモ」への疑問や批判は阿部氏に集中する。阿部氏だって三島と一〇〇％同じ意見ではないだろう。しかし、ここでは「三島の代理」的な立場で答えている。たとえば、こうだ。

楯の会　（※S氏）それから、阿部さんの意見の中にはでてこなかったけれど、女帝は認めるんですか。

阿部　日本の歴史に照らせば当然認めるべきですね。

阿部氏は断言している。かつて日本には女帝は八人十代おられた。だから認めるべきだという。今は男の子がいなくて、「では女帝を」という論議が中心だが、阿部氏たちが討論してる頃は、皇太子さまも秋篠宮様も生まれて、男系男子の継承に何の不安もない時だ。そんな時の女帝論だ。今とは全く違う。しかし、阿部氏は断言する。これは凄い。

ただし、研究会の中では「女帝容認」派は少数派だ。もしかしたら阿部氏一人かもしれない。他の多数派からは強硬に抗議され、批判される。そして最後には阿部氏はこう言う。

「私が言った意味は、積極的に認めて、一つの主義として確立しろという意味ではないんで、皇統には複数の女帝がおられたので、女帝は絶対だめだというような意見には反対だという意味ですよ。消極的な……。」

皆に押されて、かなり後退している。「消極的な」容認論、と言っている。「阿部ちゃんもダメだな。もっと頑張らなくちゃ」と三島は思ったかもしれない。阿部氏は早大の法学部だった。「だから……」と三島は代表にしたという。いや、それだけではない。阿部氏の人間性と実務能力を買っていたのだ。でも、その阿部氏でも、女帝論では孤立無援だし、ジリジリと後退する。だったら次の研究会の時にでも三島が参加し、学生に教えてやればよかったじゃないかと思うが、三島はやっていない。他でも弁明はしない。謎だ。何故、四〇年以上前に、突然、女帝論を言い出したのか。分からない。思い余って、この本の著者・松藤竹次《ママ》郎さんに電話で聞いてみた。

「今の事態を見越していたんでしょうね。予言者ですよ。当時は誰も気付かなかったのに、三島さんだけは気付いていた。皇位を受け継ぐ〈受け皿〉は大きい方がいい。そういう考えだったんでしょう。」（『遺魂』一〇二〜一〇八頁）

次に『遺魂』の基となつた「第一弾」にはどのように書かれているだろうか、以下引用する。

血によって購われた改正案

昭和四六年二月、憲法改正案はようやく「憲法研究会」によって完成された。（略）

楯の会会員であつた者にとっては、いわば血で購われた三島の「遺書」ともいえるのである。／以下は、そのおおむねの内容である。第一章天皇から原案ははじまっている。

【天皇】

天皇は国体である

天皇は神勅を奉じて祭祀を司る

皇位は世襲であつて、その継承は男系子孫に限ることはない

（以下一〇項目省略）

【国防】（略）

【非常事態法】（略）

【検察、経済、教育権の確立】（略）

「第一弾」における「憲法改正案」についての記載はここまでである。『遺魂』これ以降は、「第二弾」、「第三弾」から「引用」執筆したものと思われる。

ここまでの「第一弾」における文章と、ここから『遺魂』に引用された文章を比較してみる。

【天皇】の各条項は同じである。

【国防】『遺魂』は「第一弾」からの抜粋である。

【非常事態法】はほぼ同じである。

【検察、経済、教育権の確立】「第一弾」にはあるが、『遺魂』に記載はない。

【検証その①　「三島メモ」について】

双方を比較して先づ注目すべきは、「第一弾」には「以下は、そのおおむねの内容である」と書いてあるが、『遺魂』では「三島メモ」となっていることである。また、『遺魂』では「『三島メモ』は三島の改憲に対する考えが集約されて入っている」と書かれているが、三島が研究会に対し提示した資料は「問題提起」のみである。他に資料が見つかってもいないし、またあったという会員もいない。

このように、「第一弾」は『討議記録・日本改正案』から引用、編集し記載したものである。故に「おおむねの内容」と表現したのである。『遺魂』では、それをあたかも三島氏が指示したかのように「三島メモ」と言い換えたのである。即ち「三島メモ」なるものは存在しない。鈴木氏の明かなミスリードと言わざるを得ない。高森ブログでは、そこは見抜いているように思える。鈴木氏には当該部分を含む「小文」を送っているが、令和三年二月一日現在、未だ反論はない。

【検証その②　「女帝」について】

鈴木氏は、『遺魂』（一〇四〜一〇五頁）において、「三島は……「皇位は世襲であつて、その継承は男系子孫に限ることはない」とはっきり書いている」、「三島は女帝を認める『草案』をだしてきた」と書いているが、先述したように、三島氏が「草案」を出した事実はない。草案を出したのは会員I氏である（後述）。繰り返すが、三島氏が出したのは「問題提起」のみである。

さて、憲法研究会において、「女帝」について最初に言及されたのは、『遺魂』（一〇六頁）に記載の如く会員S氏からであり（『討議記録・日本改正案』九三頁）、それ以外では、会員K氏からの次のような発言のみである。（『討議記録・日本改正案』一一四〜一一五頁、「第二弾」一三二〜一三三頁）

楯の会（※K氏）……内容についてはさらに二点ある

んですが、第一点は天皇の御存命中の譲位を認めるのかどうかということと、前に話に出ましたが、女帝を認めるか否かということなんですね。自分は一点目についてはよくわからないんですよ。歴史上はかなり多くの譲位の例があるんですが、それが本意なのかどうかというと、どうもそうではないような気がするんですよ。それでも重い病気などの場合を考えてみると、譲位した方がいいんじゃないかとも思えてくるんですよね……。この点については皆で考えておいてください。／女帝については認めるというようなことを言ってましたが、自分はどうも疑問に思えるんですよ。暫定的に認めるというのでしたら異存はないんですが……。阿部さんは認めた方がいいと言ってたんですが、どうですか。

それに対し、前述阿部班長の「消極的容認論」となるわけで、決して「他の多数派から強硬に抗議され、批判された」わけではない。議論は冷静に行われていた様子が窺がわれる。また鈴木氏が言う如く、『女帝』という言葉が頻繁に使われた事実もみられない。

ここではむしろ、半世紀前に「ご譲位」を予見したK氏の見識に敬意を表すべきであろう。

【検証その③ 「女系天皇」について】

「女帝は認めるし、その女帝の子供が天皇になることを認めている」、つまり「女系天皇」を容認していた、について。

阿部班長の「消極的容認論」の発言の後、

会員（※K氏）それなら分かります

阿部　皇室典範には女帝は全面的に認めていないんですよね。これには反対だということでね。ある種の心配があるから……。

会員（※O氏）どういう心配……。

阿部　皇位継承の有資格者は多い方がいい……。

会員（※I氏）それでは、皇位のお腹におられる皇子にも継承権があるとするわけですか。

阿部　そうなるとよく分からないけれども、認めるべきではないですか。これはよく分からないね……。

これらの討議の後、会員I氏から改正案第一条から第六条までが提案される。以下の通りである。

第一条　天皇は国体である
第二条　天皇は神聖にして、政治上の責任を負うことはない
第三条　天皇は祭祀の最高の長として儀式を司る
第四条　天皇は神道を奉じる
第五条　皇位は皇室典範に基づく世襲とし、その継承は男系子孫に限ることはない

（以下、略）

（『討議記録・日本改正案』一一五～一一七頁、「第二弾」一三三～一三四頁）

これからさらに討議を経て

第一条　天皇は国体である

第二条　天皇は神聖である

第三条　天皇は神勅を奉じ祭祀を司る

第四条　皇位は世襲である

という結論になる。（『討議記録・日本改正案』一四六頁、「第二弾」一五二頁）皇位継承の規定は皇室典範で定めるということになった（『討議記録・日本改正案』一四六頁）。冒頭の「三島メモ」【天皇】一三項目は、これらの討議の中から導き出されたものであり、三島の意見（「三島メモ」）によるものではない、ということがよくわかる。

さて、女帝を認めると次の天皇はどうなるのか、ということになる。そこを会員は心配して、お腹の子はどうなるのか、と尋ねたのである。つまり「女系天皇」を認めることになるのではないか、と。それに対し阿部は、認めるべきではないかと言いながら、よく分からない、と発言している。

阿部氏はその前に「日本の歴史に照らせば（※実在したから）認めるべき」と「女帝容認」の理由を述べている。それならば、「女系天皇」は「日本の歴史に照らせば（実在しなかったから）認められない」ということになるが…。

思うに、阿部氏に限らず会員たちの多くは、「女帝＝女性天皇」と「女系天皇」の違いを正確に認識していなかったのではないだろうか。それ故に「皇位は皇室典範に基づく世襲とし、その継承は男系子孫に限ることはない」という表現になり、それが「女系天皇」を認めたものと誤解或は解釈される因となったものと私には思われる。元憲法研究会の本多清氏もそのように証言し（「朝日新聞」令和二年八月六日夕刊「現場へ皇位継承男系派は焦らない」）、私にもそう語っている。今では、「女系天皇」がいかなる結果を招来するかということは或る程度理解されてはきたが、当時は『遺魂』でも高森氏も指摘してしているように、全く男系男子の継承に不安を感じる時代ではなかった。

前述のように、三島氏は三回にわたり問題提起を行ったが、阿部氏はその状況を次のように述べている。

「その都度出席した三島隊長は、それぞれの問題提起につき、現代戦において徴兵制度は欠陥が多すぎるので反対する。検察権の独立を考慮すべきだ、と付属意見を述べました」（『三島由紀夫全集』三四附録NO三四、三島隊長の『問題提起（日本國憲法）』）。

しかし『討議記録・日本改正案』の中で、三島氏の発言が見られるのは「改正案　文民統制と顧問院」（『討議記録・日本改正案』一九〇頁～）と「改正案　非常事態法」（『討議記録・日本改正案』二〇五頁）のみであり、上記付属意見はここでの発言のことと思われる。この二点は第三問題提起にあたるところで、他の部分（第一問題提起及び第二問題提起）に三島の発言は見当たらない（記載されていない）。

後述するが、会員であった山口良男氏は、「先生は女系継嗣問題を論じられたか？」と題した論考の中で、第一回問題提起の際出席した三島氏は、冒頭二〇分くらい話をしてすぐ帰られた、と話の概要と共に記している。

また、討議に参加し意見を求められた三島氏は、「おれには発言権がないんじゃないのか（笑）、そういう約束だったんじゃないか（笑）」と発言しており（『討議記録・日本改正案』二〇三頁、「第二弾」一九一頁）、改正案の立案を会員たちに委ねた三島の姿勢が垣間見られる。

ところで執筆途中、三島の片腕であった楯の会初代学生長持丸博氏（故人、持丸は旧姓）の長男松浦威明氏（現・杉並区議会議員）から、以下のような証言を得た。

　二〇〇八～二〇〇九年（平成二〇～二一年）ころ、市ヶ谷のある会館で行われた講演で、高森明勅氏の「三島由紀夫が女系天皇を容認していた」との発言を聞いたので驚き父に確認したところ、先生とは天皇論について何度となく議論を重ねたが、先生はそのような話は一切していない、「女帝」の話もしていない、大体当時「女系天皇」という発想がなかつた、との返答があったことを良く記憶している。

持丸氏は憲法研究会が組織される約二ヶ月前の昭和四四年一〇月に楯の会を退会しているが、三島の最側近であった氏の話は、上述論証を裏付けるものとして重要である。持丸氏は、『証言三島由紀夫・福田恒存たった一度の対決』（平成二二年一〇月三〇日、文藝春秋。佐藤松男氏との共著）を著し、天皇の問題を始め三島との交流について詳しく述べているが、「女帝」「女系」のような話は全く書かれていない。

その後、新たな情報及び資料を入手したので、以下追記する。

〈追記一〉

先に、鈴木氏は松藤氏に直接電話をして聞いたとして、『遺魂』にそのやりとりの内容を記しているが、松藤氏から私宛に、「鈴木という方とは会ったこともなければ電話を受けたこともありません」との返信があった。

〈追記二〉

三島森田事務所機関誌『ＭＭ日乗』（編集人：堀田典郷）ＮＯ一一六（平成一八年一月一一日～平成一八年三月二日）に、元楯の会会員で憲法研究会の会員であつた山口良男氏の論考「先生は女系継嗣問題を論じられたか？」が掲載されていたので以下抄録で紹介し、小論を補強すると共に不備を補いたい。氏は憲法研究会の経緯等を詳細にノートに記録しており、論考はその記録に基づく貴重な資料である。

先生は女系継嗣問題を論じられたか？（山口良男）

松藤竹二郎編『日本改正案・三島由紀夫と楯の会』毎日ワンズ刊に引用された資料は、楯の会の「憲法研究会」（三時間×約三〇日）で討議された録音テープを手分けして草稿化し、座長の故阿部勉氏が編集されたものです。松藤氏はその二二〇枚にも及ぶ幻の原稿を入手され、一部抜粋、再編集されたものでした。

この原稿は、『若者による憲法草案（仮題）』として、新潮社から出版される予定でしたが、出版社の事情で実現しませんでした。

さて、松藤氏本の小見出しには、「女帝は歴史的にも当然認めるべき」、「皇位は男系子孫に限ることはない」という活字が踊っています。しかし、あたかも三島先生の発言であるかのように受け取られやすいので、憲法研究会参加者として愚見を述べさせて戴きます。

会員によるテープ起こしも、阿部さんの出版に向けての執筆作業も、先生、森田必勝学生長の亡くなられた後、すなわち、楯の会の解散後に行われたものです。森田さんは、毎回出席されていましたが、あくまでオブザーバーとしての出席でした。最後まで意見を述べられたことはなく終始無言で聞き入っておられ、会場費の支払いが森田さんの任務でした。

本文中に「註＝三島氏加筆」と（※毎日ワンズ編集者によって）書き込まれた箇所があります。（※上述小文中ではふれなかったが数ヶ所あり。）（略）

ここで、楯の会の「憲法研究会」について、説明しておきます。

旧版の新潮社『三島由紀夫全集三四巻』月報に阿部さんの憲法研究会についての一文『三島隊長の「問題提起」（日本國憲法）』が掲載されています。

それによれば、昭和四四年一二月二四日（水）自衛隊習志野駐屯地第一空挺団に一日体験入隊し、落下降下の予備訓練終了後、先生の訓示があり、「憲法改正の緊急性を思い、楯の会も憲法改正案に取り組むべく準備せよ」との指示があったとあります。その場で、楯の会会員一三名（※名簿では一四名）からなる憲法研究会が組織されました。翌年三月、五期生の体験入隊も終わり、同五月、五期生の会員四名（私もその一人です）が加わりました（※総員一八名となる）。

昭和四五年四月下旬、有楽町にあった週一回の楯の会会員と先生との面接会場「月光荘」（サロン・ド・クレエル）に、遅れて阿部さんがやって来ました。先生が「阿部、久しぶりだなあ」と言われ、「おまえが、中心となって憲法研究会を運営してもらうつもりだからな。しっかりやってくれよ。座長は任せたからな」と言われていました。阿部さんは、頭をかきながら、終始、低姿勢で先生の横に腰掛けられました。

研究会の会場は、市ヶ谷の私学会館、毎週水曜、時間は午後六時から九時まででした。

当時の私のノートによると、昭和四五年五月六日（水）、第一回の憲法研究会が開かれた。問題提起の日のみ、先生も出席され、通し番号付きのガリ版刷り「第一問題提起」（先生が書かれた憲法問題についてのコメント、当時は門外不出の極秘文書であつた）も配布された。冒頭に、先生のお話が二〇分くらいあった。

「日本文化の中心は天皇である。……普遍妥当性を納得せしめるために、第一章は、政治規定ではなく文化規定にしたい」、「楯の会の憲法草案は、自民党政権が危うくなり、非常事態を予想した後での憲法草案である。万が一の場合、楯の会はクーデターに訴えても、天皇護持のため出動するが、そのための憲法草案である」、「我々の目指すものは、天皇の必要性の説得であり、目的とするものは、国体の規定である」、「国体における統治か。政体における統治か。統治とは、政治的な統治もあり、文化的な統治もある」、「国体条項を憲法に書くのは是か非かという問題も検討されなければならない」

という趣旨の説明をされて、我々の討議を聞くことなく、帰られた。お約束か、ご予定で忙しかったと思われる。二回、三回目もそうであった。

以降、（昭和四五年）五／一三、五／二〇、五／二七、六／一〇、六／一七、六／二四、七／一、七／八「第二章　戦争の放棄」（問題提起二のこと、三島先生出席）、七／一五、七／二二、七／二九、九／二、九／九、九／一六、九／二三、九／三〇（「問題提起三非常事態法について」配布される）、一〇／七（三島先生出席）、一〇／一四、一〇／二一、一〇／二八、一一／七（リフレッシャーの訓練のため一一／四が変更される）、一一／一一、一一／一八。事件の一週間前にもかかわらず、森田学生長が今後の会場予約（一一／二五（休会：事件当日）、一二／二、一二／九、一二／一六、一二／一九（土）、一二／二三、（昭和四六年）一／一三）を済ましたと、阿部さんより報告があった。昭和四五年一一月二五日（事件当日）を除き会議は予定通り実施した。但し、一二／一九と一二／二三の両日は総括のため、四：三〇集合五：〇〇より九：〇〇まで総括をするとノートにある。

会議は毎回、オープンリールのテープに録音していたが、起こしてはいなかった。議事録さえも作製しておらず、各自がとったノートをもとにして会議を進行させていた。

　その後、阿部さんの指示により、各自が分担してテープ起こしを行った。とりまとめ役の阿部さんの原稿が仕上がったのは、昭和四八年か、翌年の五月頃であつた。したがって、先生は阿部さんの原稿をご覧になれるはずはない。後に、阿部さんからこの原稿をコピーするよう命ぜられたのは、かくいう私である。（※鈴木氏は『遺魂』の中で、阿部勉氏は毎週水曜日の研究会の時、テープをとり、それを原稿にして三島に見せている、とあたかも直接見聞したかのように書いているが、あり得ない話である。）

　よって、（1）松藤氏の本にある「女帝は、歴史的にも当然認めるべき」との文言は、「憲法研究会」での阿部さん個人の発言であつて、三島先生の発言ではない。

　（2）「三島加筆」という編集者の「註」は先生亡き後にできた原稿に「註」を入れられるはずがない。会員の誰かが書き足したものであろう。（※『MM日乗』には、憲法研究会に所属した小野寺彰氏の次のような談話が掲載されている。

「阿部氏が校正した『日本改正案』（論争ジャーナル原稿用紙使用コピー）の一〇九頁に『それをとってしまえば全てが瓦解する』と挿入したのは私、小野寺で、原稿ができたとき手を入れたものです。先生の死後、阿部氏から頼まれ、この外、不足部を付け足し、訂正した。この原稿に先生が手を入れることは山口君が言うようにありえません。（以下略）」）

　（3）先生は、三度の問題提起の際に出席されたが、女帝についても、男系天皇、女系天皇についてもお話をされていない。

　当時、学生運動が猖獗を極めていた。（略）世論も知識人も「天皇」問題にふれることを意識して避けていた。天皇問題を誰一人論じぬ中で、禁忌であった「天皇」「憲法問題」を避けては通れぬ日本の根幹問題として真向から論じられたのが三島先生だつた。敗戦と民主主義の導入とともに、次第に国民の意識から希薄になっていく天皇への敬慕の念を、身命を賭しても回生させる以外に日本再生への道はないと考えられた。それゆえ、「我々の目指すものは、天皇の必要性の説得であり、目的とするものは、国体の規定である」（第一回憲法研究会での講話）と話されたのである。天皇問題を国民の意識に定着させる事こそ第一義であった。

　（4）情勢論からしても、細部の話よりも先ず国民の意識下に天皇の御存在の意義を知らしめる事の方が緊急であつた。三六年前の話である。

　小野寺さんの言によれば、「戦後皇室の周辺は皇族は限定され、華族もなくなり、側室制度もなくなった。このままでは天皇家は衰退する一方だ」という話をされた

という。先生が、真剣に皇室の行く末を心配されていたことだけは伺える。（以下略）

以上山口氏の論考には、憲法研究会の発足から憲法改正草案『日本改正案』が出来上がる迄の状況が三島氏の言動を含め詳細に記されている。しかし、そこにも三島氏が「女帝」或は「女系天皇」を容認したという論拠は露ほども見出し得ない。

高森氏の、「「皇位は世襲であつて、その継承は男系子孫に限ることはない」は、三島以外の研究会メンバーが独自に思い付いたとは、にわかに考え難い、……従ってこれは、（文章化が誰であれ）三島自身のアイデアであつたと考えるのが、自然ではあるまいか」、とか、「そうした中で、「男系子孫に限ることはない」という改正草案を思い付くとは、やはり一種の天才的な閃きだろうか」とか、「前出条文を着想した先見性、洞察力の卓抜さは、目を見張るものがある」などの根拠なき推論は牽強付会と言わざるを得ない。

また、三島氏が神社新報社に取材をしたという事だけで、葦津氏の著書を読んで「上記の如き条文を思い付いたのだろうか」などという想像力のたくましさには、泉下の三島氏も大きな目を更に大きくしているに違いない。

更に高森氏は、鈴木氏は元楯の会のメンバーの本多清氏らの取材をされた、と書いているが、本多氏は上述松藤氏同様、鈴木氏と電話にて話をしたことがないと断言している。このように、『遺魂』には「三島メモ」の件をはじめ多くの疑問点が見られるが、同書から引用しての論立てはいかがなものであろうか。

三島氏が遺された膨大な著作物及び談話から、万世一系を否定する「女系天皇容認論」なるものは見出し得ない。それは、氏の思想と行動とに全く相反する事であることは、「文化防衛論」を読めば容易にわかることである。

以上拙い論証ではありますが、三島先生及び楯の会・憲法研究会諸兄の真意がご理解いただけたものと思います。「お世継ぎ」の問題は、今まさに重大な局面に入ろうとしている現在、私は憲法研究会には属さなかったけれども、関係者の一人としても看過できる問題ではないので、敢て拙文を草した次第です。

三島・森田両烈士の義挙から半世紀を閲した今日、改めて『問題提起（日本國憲法）』を読み返してみましたが、現憲法の孕む諸問題が鋭く剔出明示されており、私たちの胸に深く深く迫るものがあります。安定的皇位継承問題の解決と共に、両烈士が二つとない命と引き換えに迫った憲法の改正に向けて、全国民一丸となって邁進しなければならぬと痛切に感ずるものであります。（元・楯の会一期生）

（令和二年一一月二五日記）

資料

三島由紀夫と藤野一友

犬塚 潔

はじめに

三島由紀夫は、昭和33年12月1日（月）の日記に、「藤野一友氏が絵を持って来訪。私が氏を知るそもそもの機縁となった小さなペンと鉛筆の絵、かつて或る雑誌の表紙に使われた、ティツィアーノ風の女の顔がゴシック建築と同一化し、

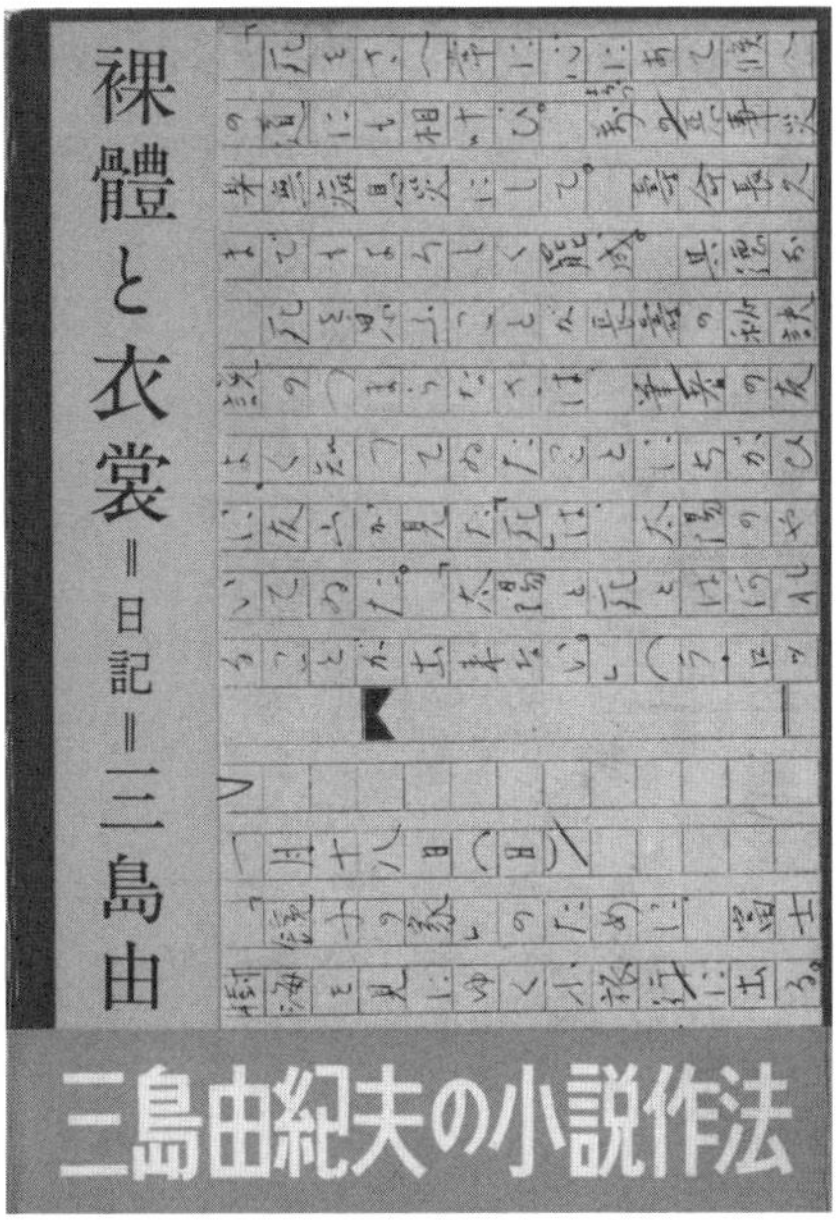

写真１ａ　裸体と衣裳　初版本（1959）

写真１ｂ　表　紙

写真１ｃ　扉

その美しい髪が乱れてあまたの尖塔にまつわりついている絵の原画を、この間私が氏の個展で見出して、早速無心をしたのである」[1]と記している。

三島が「氏の個展で見出して、早速無心をした」絵を表紙に使用した雑誌とは、何であろうか。

第一章　裸体と衣裳

「裸体と衣裳―日記―」は、昭和33年4月号から昭和34年9月号の文芸雑誌「新潮」に「日記」のタイトルで連載され、昭和34年11月30日に新潮社から単行本が刊行された。この本の表紙と扉のカットを藤野一友が担当した。（写真1a、b、c）

昭和33年12月1日の三島の日記に記された藤野一友の個展は、昭和33年11月10日から11月15日に丸の内の中央公論丸ビル画廊

写真２ａ　薔薇と海賊　初版本（1958）

写真２ｂ　薔薇と海賊　カバー

写真２ｄ　表　紙

写真２ｃ　原　画（福岡市美術館蔵）

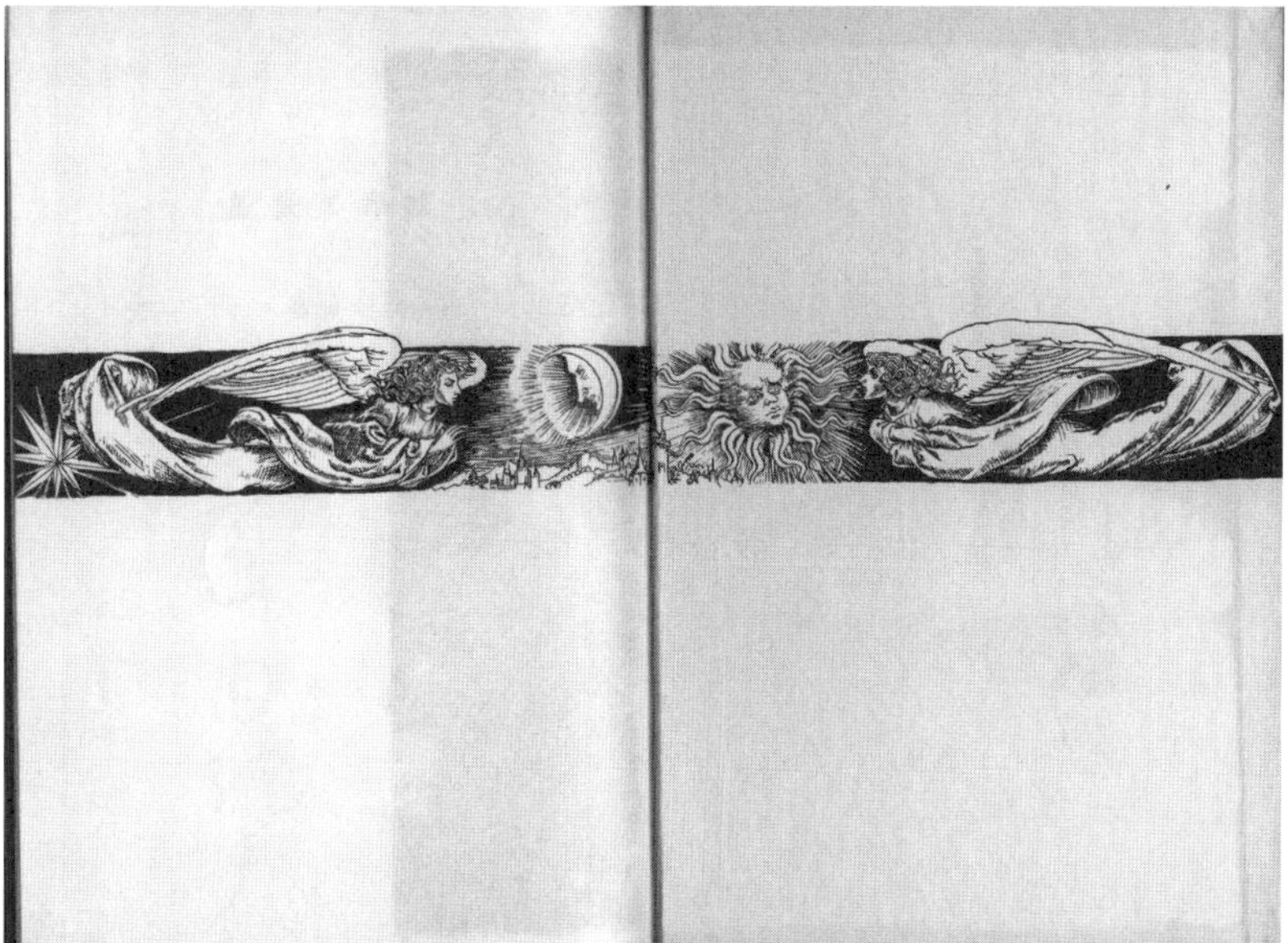

写真２ｅ　薔薇と海賊　見返し

で開催された藤野一友展と考えられる。しかし、この個展に関しては、私が渉猟し得た範囲では出品作品を含めて詳細は明らかにならなかった。

第二章　薔薇と海賊

「薔薇と海賊」は、昭和33年5月号の文芸雑誌「群像」に掲載され、同年5月30日に新潮社から単行本が刊行された。この本の装幀を藤野一友が担当した。（写真2a、b、c、d、e）

第三章　琥珀の虫

澁澤龍彦の「琥珀の虫」に狐狗狸さんの話がある。

「三島氏の馬込の家が新築されたのは昭和三十四年五月であるから、私たち夫婦が奥野健男夫妻、画家の藤野一友夫妻とともに、初めて新邸に招かれたのは、それからほぼ二カ月後だったはずである。正確にいえば昭和三十四年七月二十九日の水曜日で、なぜ正確な日付を私が覚えているのかというと、三島氏の招待状が私の手もとに残っているからだ。（中略）

　ふとった藤野一友氏が、額の汗をしきりにハンカチで拭いながら、豊川稲荷だか伏見稲荷だか忘れたが、お稲荷さんの霊を呼び出そうとして、しかつめらしい顔をして何度も呪文を唱えた。しかるに、霊は一向に現われなかった[2]」

　藤野一友の妻は岡上淑子で、三島は「氏の奥さんは英国の占星学に凝っていて、摩羯宮にある私の運勢を、しきりに占ってくれそうにするが、当りそうで怖いから、半分ぐらい興味を示して半分ぐらい辞退している[1]」と記している。

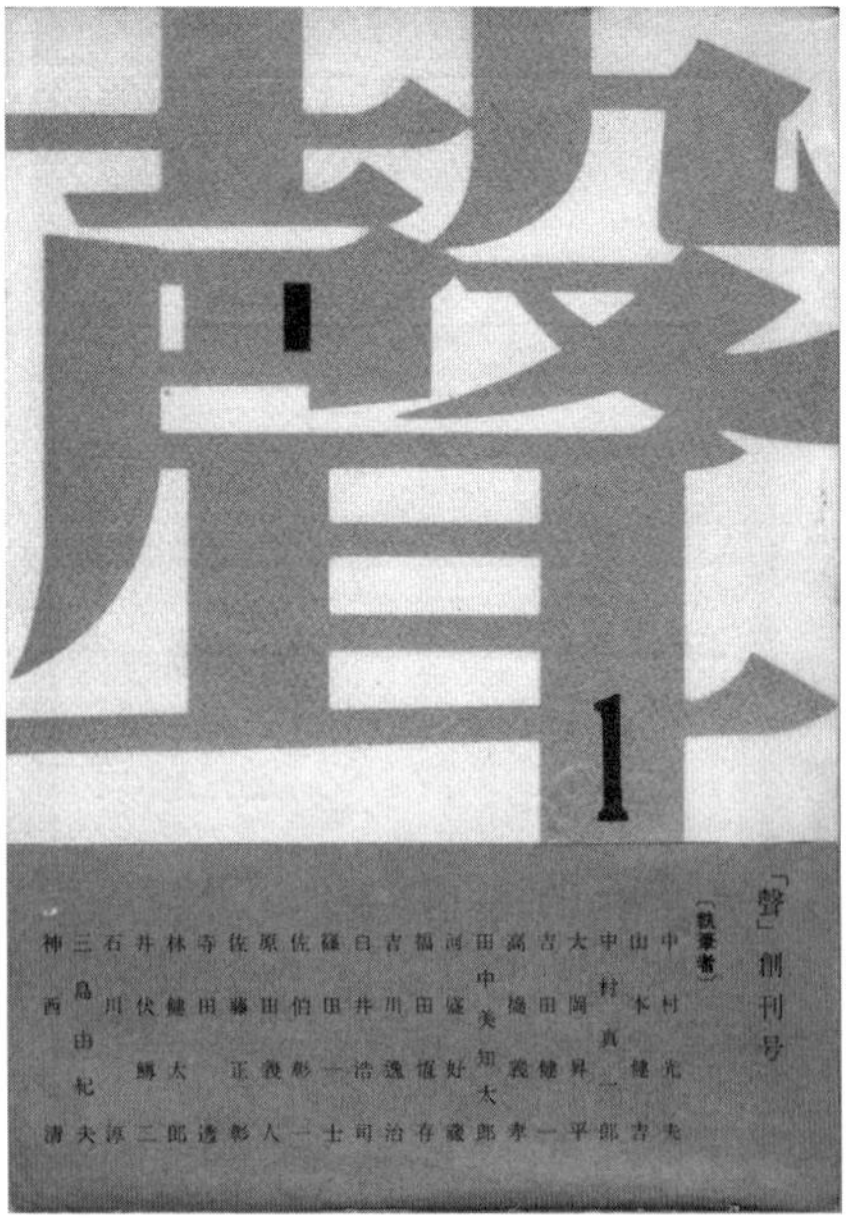

写真3　聲　創刊号

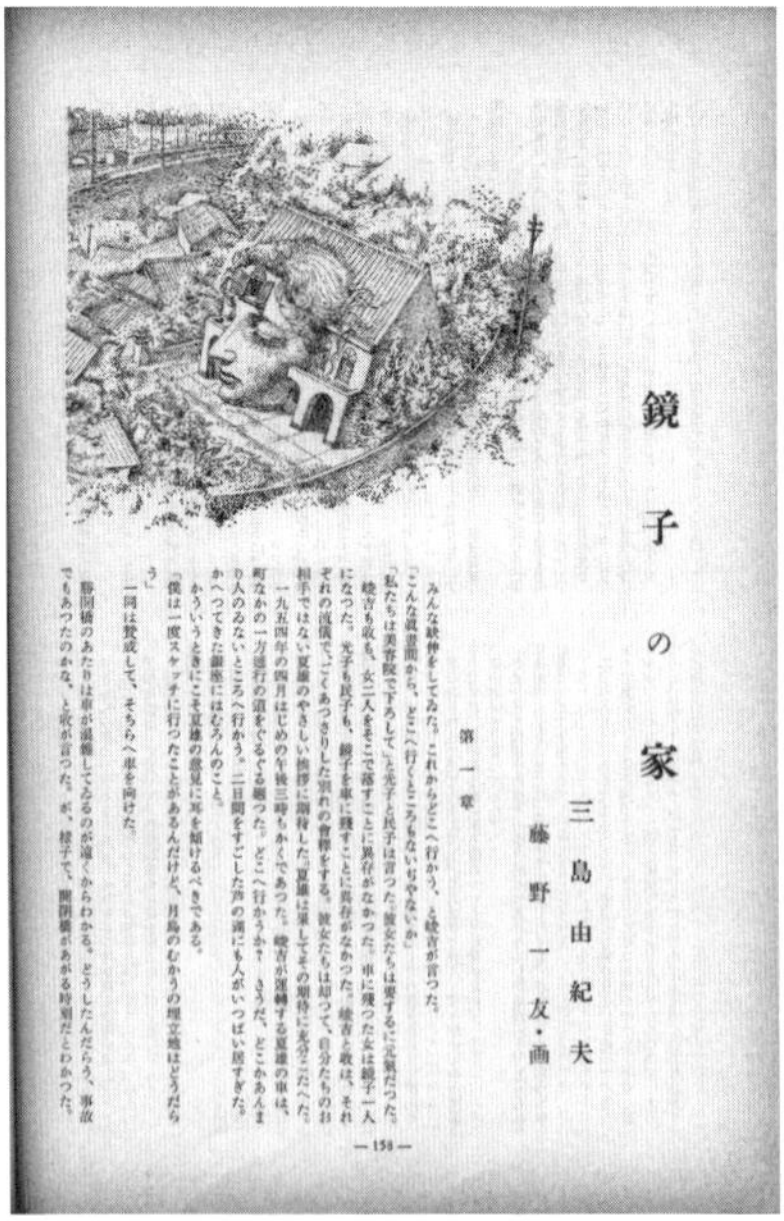
鏡子の家

三島由紀夫
藤野一友・画

第一章

みんな欠伸をしてゐた。これからどこへ行かう、と峻吉が言つた。

「こんな退屈な世間から、どこへ行くところもないぢやないか」

「私たちは美容院で下ろして」と光子と民子は言つた。彼女たちは要するに元気だつた。峻吉も収も、女二人をそこで落すことに異存がなかつた。車に残つた女は鏡子一人になつた。光子も民子も、鏡子を車に残すことに異存がなかつた。峻吉と収は、それぞれの流儀で、ごくあつさりした別れの會釋をする。彼女たちは却つて、自分たちのお相手ではない夏雄のやさしい挨拶に期待した。夏雄は果してその期待に充分こたへた。

一九五四年の四月はじめの午後三時もかくであつた。峻吉が運轉する夏雄の車は、町なかの一方通行の道をぐるぐる廻つた。どこへ行かうか？　さうだ、どこかあんまり人のゐないところへ行かう。二日間をすごした[illegible]にも人がいつぱい居すぎた。かへつてきた銀座にはむろんのこと。

かういうときにこそ夏雄の意見に耳を傾けるべきである。

「僕は一度スケッチに行つたことがあるんだけど、月島のむかうの埋立地はどうだらう」

一同は賛成して、そちらへ車を向けた。

勝鬨橋のあたりは車が混雑してゐるのが遠くからわかる。どうしたんだらう、事故でもあつたのかな、と収が言つた。が、様子で、開閉橋があがる時刻だとわかつた。


— 158 —

写真4a　鏡子の家

写真４ｂ　藤野一友　イラスト

写真５ａ　藤野一友　イラスト

写真５ｂ　藤野一友　イラスト

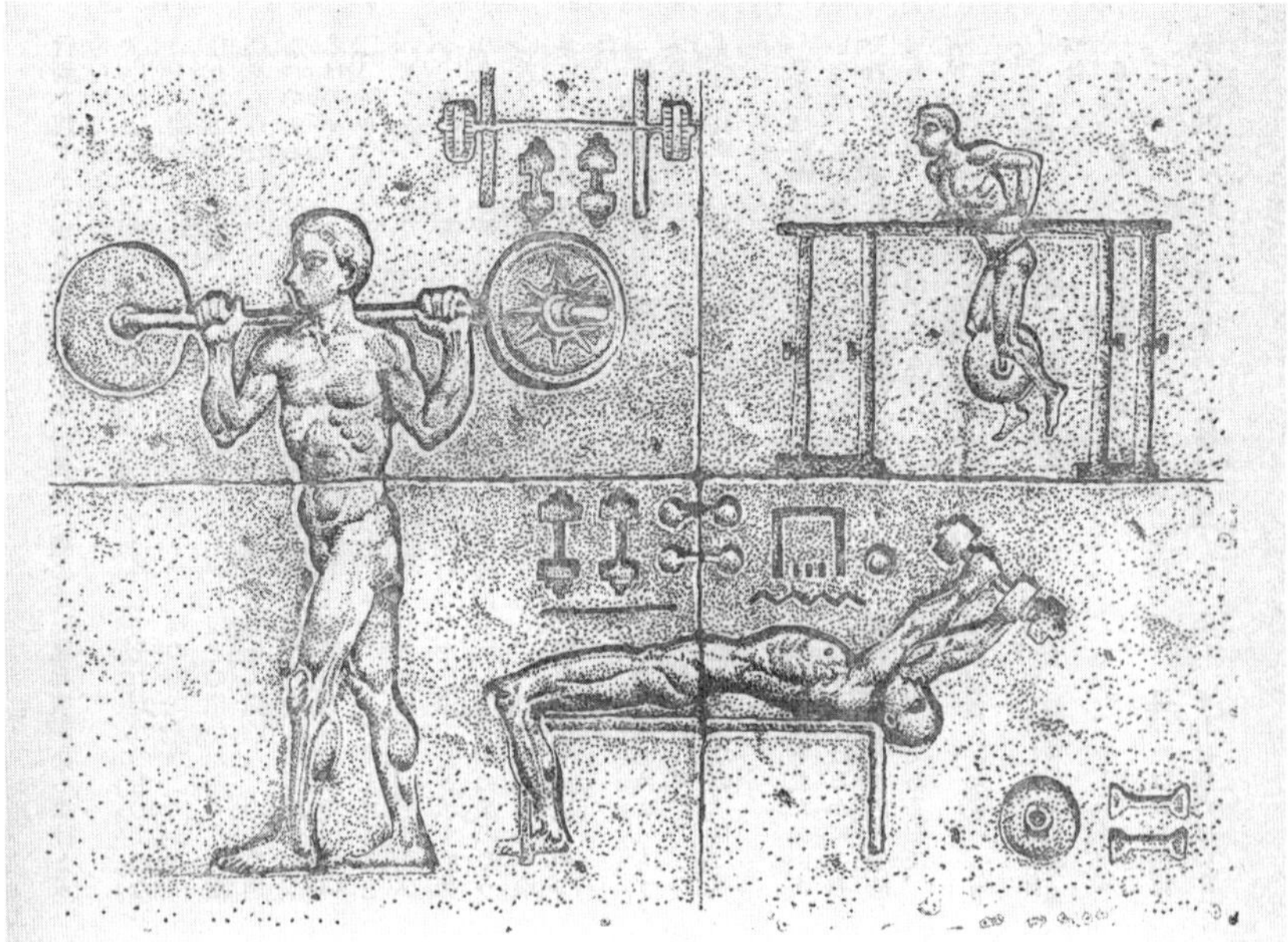

写真５ｃ　藤野一友　イラスト

写真６ａ　鏡子の家　第一部（藤野一友宛献呈著名本、1959）

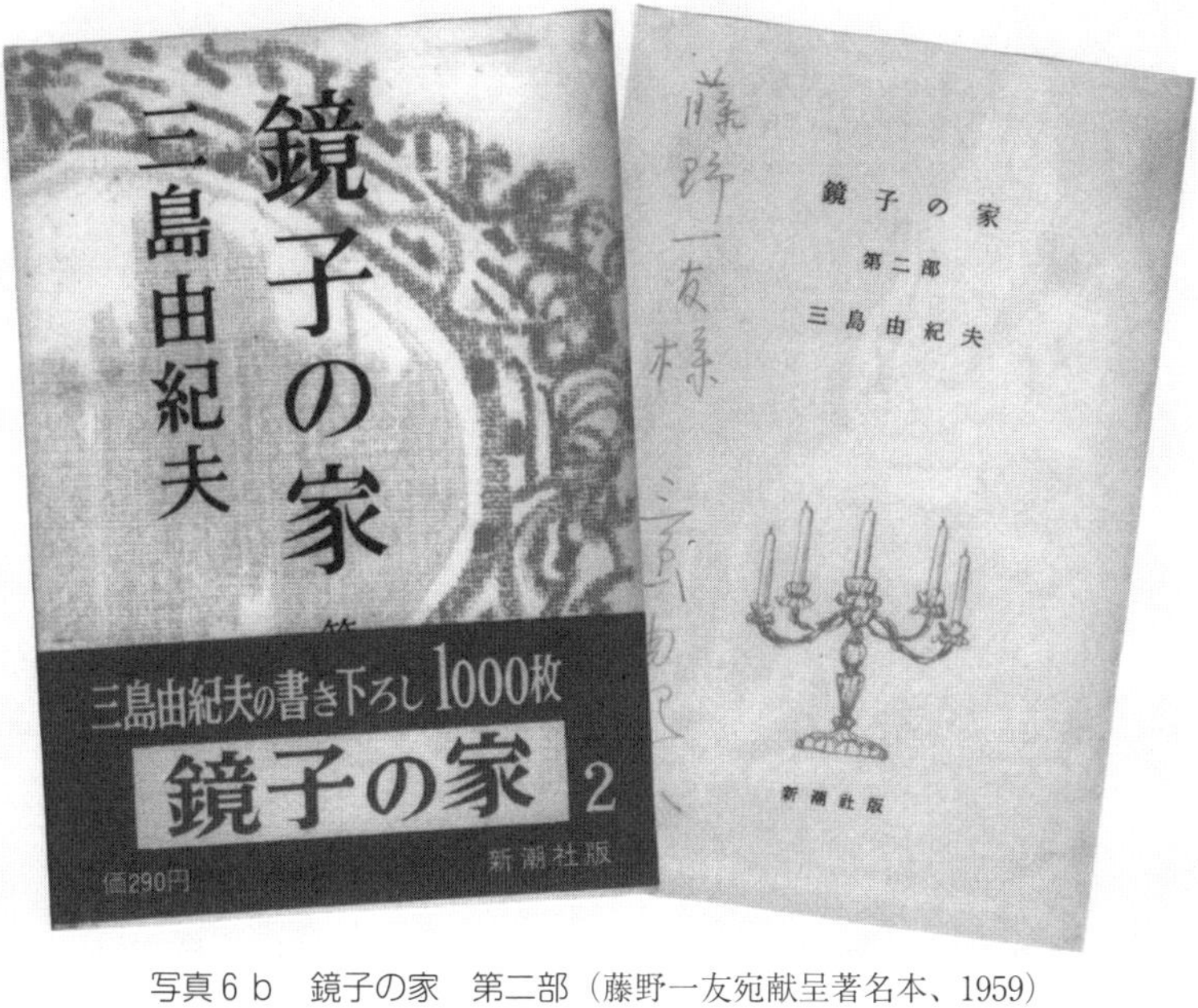

写真６ｂ　鏡子の家　第二部（藤野一友宛献呈著名本、1959）

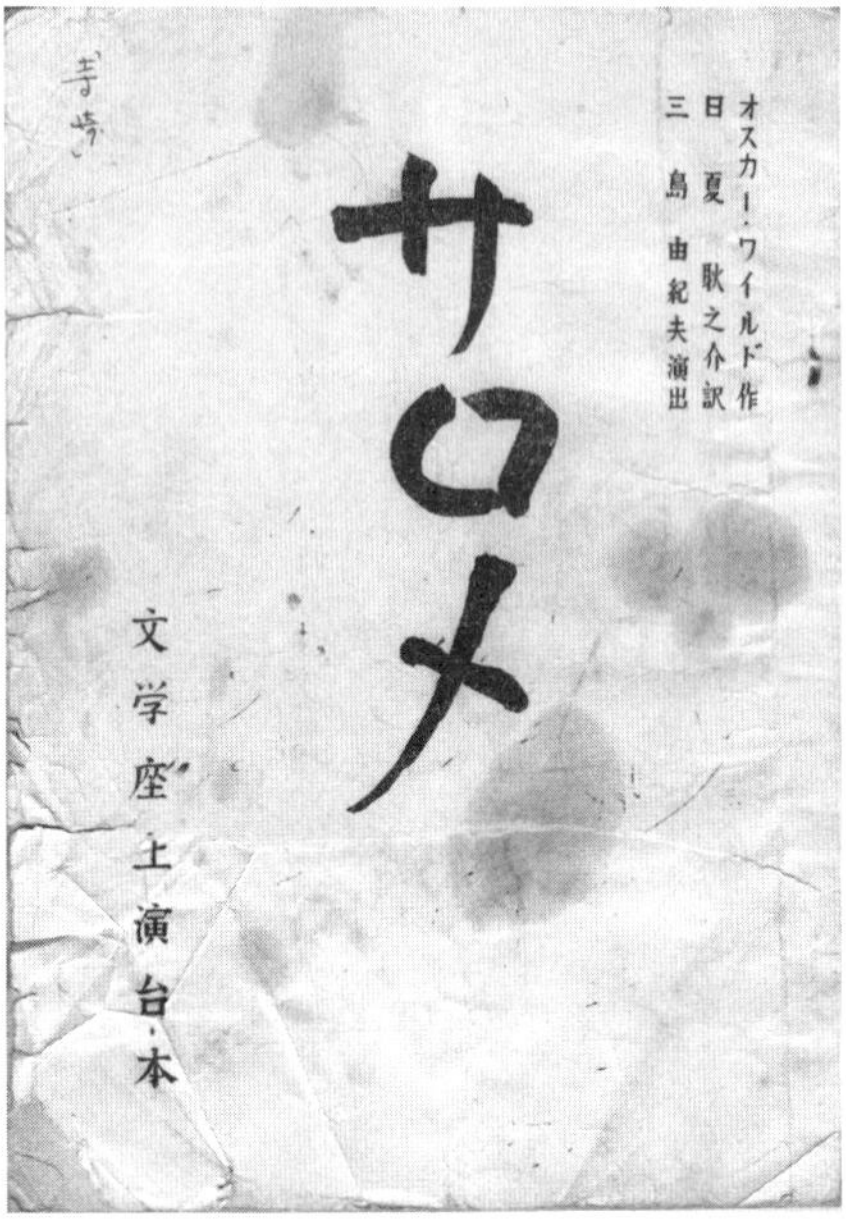

写真7　文学座　サロメ台本（1960）

写真8ａ　パンフレット

第四章　鏡子の家

「鏡子の家」は原稿約1000枚の書き下ろし小説である。昭和33年10月号の「聲」創刊号（写真3）に冒頭の一部が掲載された。この挿画を藤野一友が担当した。最初の挿画（写真4ａ、ｂ）は女の顔が建物と同一化していて、三島好みのモチーフで描かれている。他に三枚の挿画が配された。（写真5ａ、ｂ、ｃ）昭和34年9月20日に単行本が刊行されると、三島は献呈署名（写真6ａ、ｂ）を入れて藤野一友に進呈した。

第五章　サロメ

文学座のサロメ公演（写真7）は、昭和35年4月5日から16日まで東京・東横ホール（写真8ａ、ｂ）で行われた。その後、名古屋、大阪、京都、静岡を巡回した。オスカー・ワイルド作、日夏耿之介訳、三島由紀夫演出である。装置・藤野一友、照明・浅沼貢、音楽・黛敏郎、振付・県洋二、効果・吉田美能留、衣裳・南コハク、舞台監督・木村光一、公演責任者・松浦竹夫であった。出演は、岸田今日子、仲谷昇、中村伸郎、文野朋子、笈田直彦、他であった。

三島は、チラシ（写真9ａ、ｂ）に「『サロメ』の演出について」と題して、

「オスカー・ワイルドの『サロメ』を演出することは、ここ二十年来の私の夢であった。いささか誇張を弄すると、文学座へ入ったのも、ひとえに、いつか『サロメ』を演出させてもらえるという希望のためであった。これがいよいよ実現するすることになったときの、私の喜びを察してもらいたい。

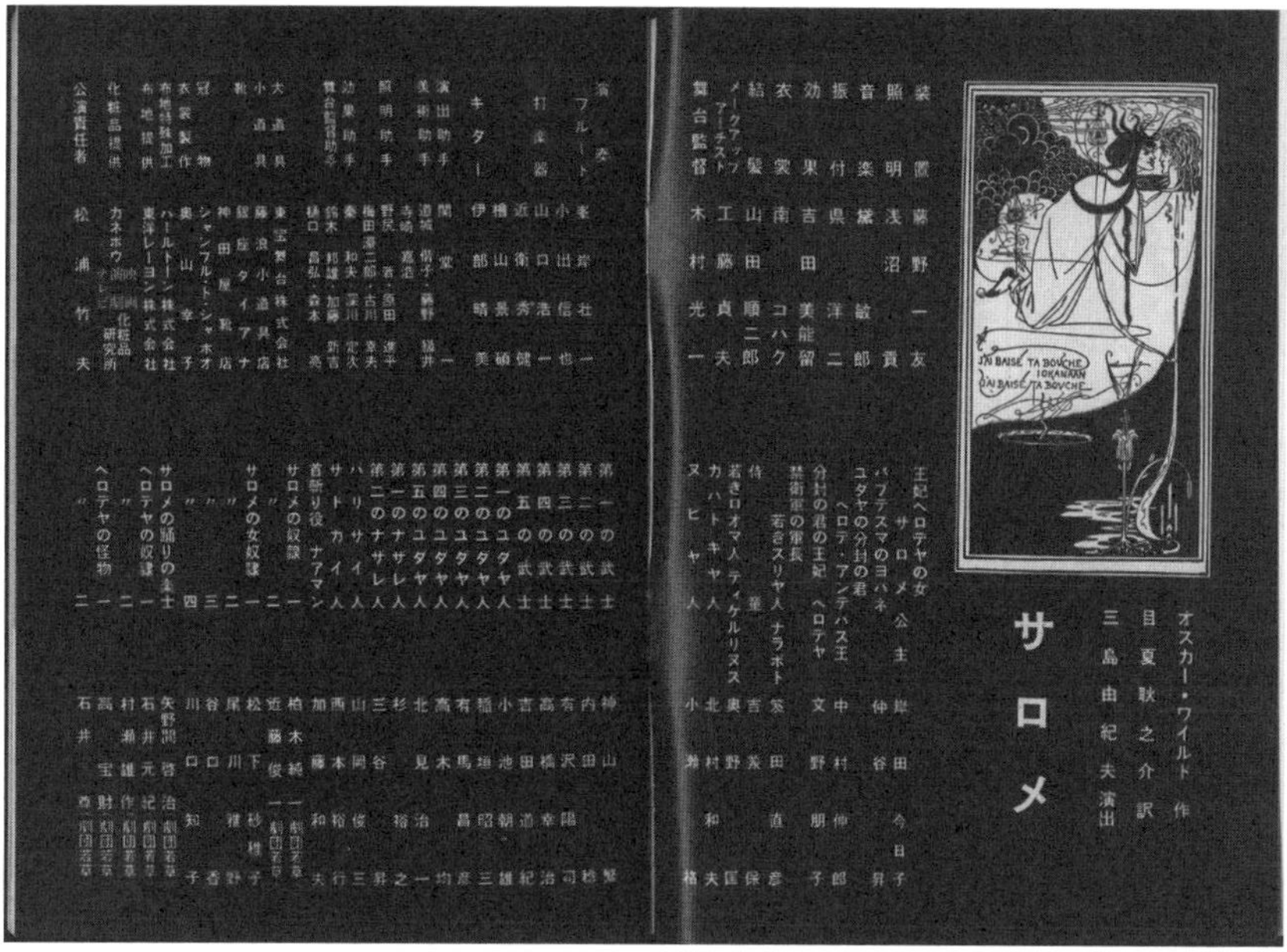

オスカー・ワイルド作
日夏耿之介訳
三島由紀夫演出

サロメ

王妃ヘロテヤの女 サロメ公主　岸田今日子
バプテスマのヨハネ　仲谷昇
ユダヤの分封の君 ヘロテ・アンテハス王　中村伸郎
分封の君の王妃 ヘロテヤ　文野朋子
禁衛軍の衛長 若きスリヤ人ナラボト　笈田直彦
侍童　吉[illegible]保
若きロオマ人ティゲルリヌス　奥野匡
カハトキヤ人　北村和夫
ヌヒヤ人　小[illegible]格

装置　照明　音楽　振付　効果　衣裳　結髪　メークアップ・アーチスト　舞台監督
藤野一友　浅沼貢　黛敏郎　県洋二　吉田美能留　南コハク　山田順二郎　工藤貞夫　木村光一

第一の武士　神山繁
第二の武士　内田稔
第三の武士　有沢陽司
第四の武士　高橋幸治
第五の武士　吉田道紀
第一のユダヤ人　小池朝雄
第二のユダヤ人　稲垣昭三
第三のユダヤ人　有馬昌彦
第四のユダヤ人　高木均
第五のユダヤ人　北見治一
第一のナザレ人　杉裕之
第二のナザレ人　三谷昇
サドカイ人　山岡俊三
ハリサイ人　西本裕行
首斬り役ナアマン　加藤和夫
サロメの奴隷一　柏木純一（劇団若草）
〃　二　近藤俊一（劇団若草）
サロメの女奴隷一　松下砂稚子
〃　二　尾川雅野
〃　三　谷口香
〃　四　川口知子
サロメの踊りの楽士　矢野間啓治（劇団若草）
ヘロテヤの奴隷一　石井元紀（劇団若草）
〃　二　村瀬雄作（劇団若草）
ヘロテヤの怪物一　高宝財（劇団若草）
〃　二　石井喜（劇団若草）

演奏　フルート　打楽器　キタレ
[illegible]　小出信也　山口浩一　近衛秀健　楢山長碩　伊部晴美

演出助手　美術助手　照明助手　効果助手　舞台監督助手
関堂一　[illegible]

大道具　東宝舞台株式会社
小道具　藤浪小道具店
靴　銀座タイアナ　神田屋靴店
冠物　シャンフルト・シャホオ
衣裳製作　奥山幸子
布地特殊加工　ハールトーン株式会社
布地提供　東洋レーヨン株式会社
化粧品提供　カネボウ[illegible]化粧品研究所
公演責任者　松浦竹夫

写真8b　サロメ　パンフレット（1960）

写真9b　チラシ

写真9a　チラシ（1960）

写真10ａ　サロメ　舞台見取り図（1960）

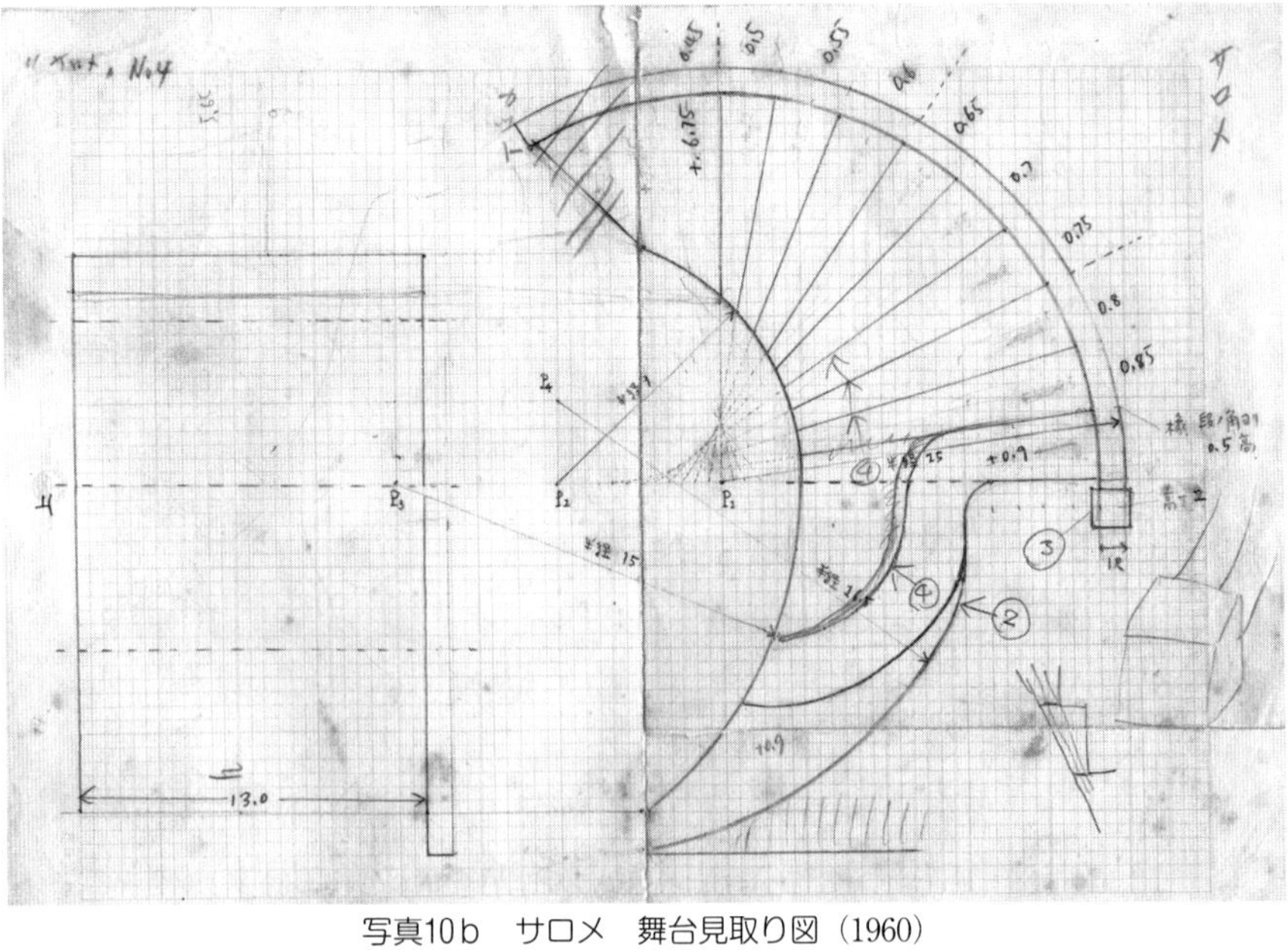

写真10ｂ　サロメ　舞台見取り図（1960）

写真11a　藤野一友原画　サロメ舞台装置図（1960）

写真11ｂ　藤野一友原画　サロメ舞台装置図（1960）

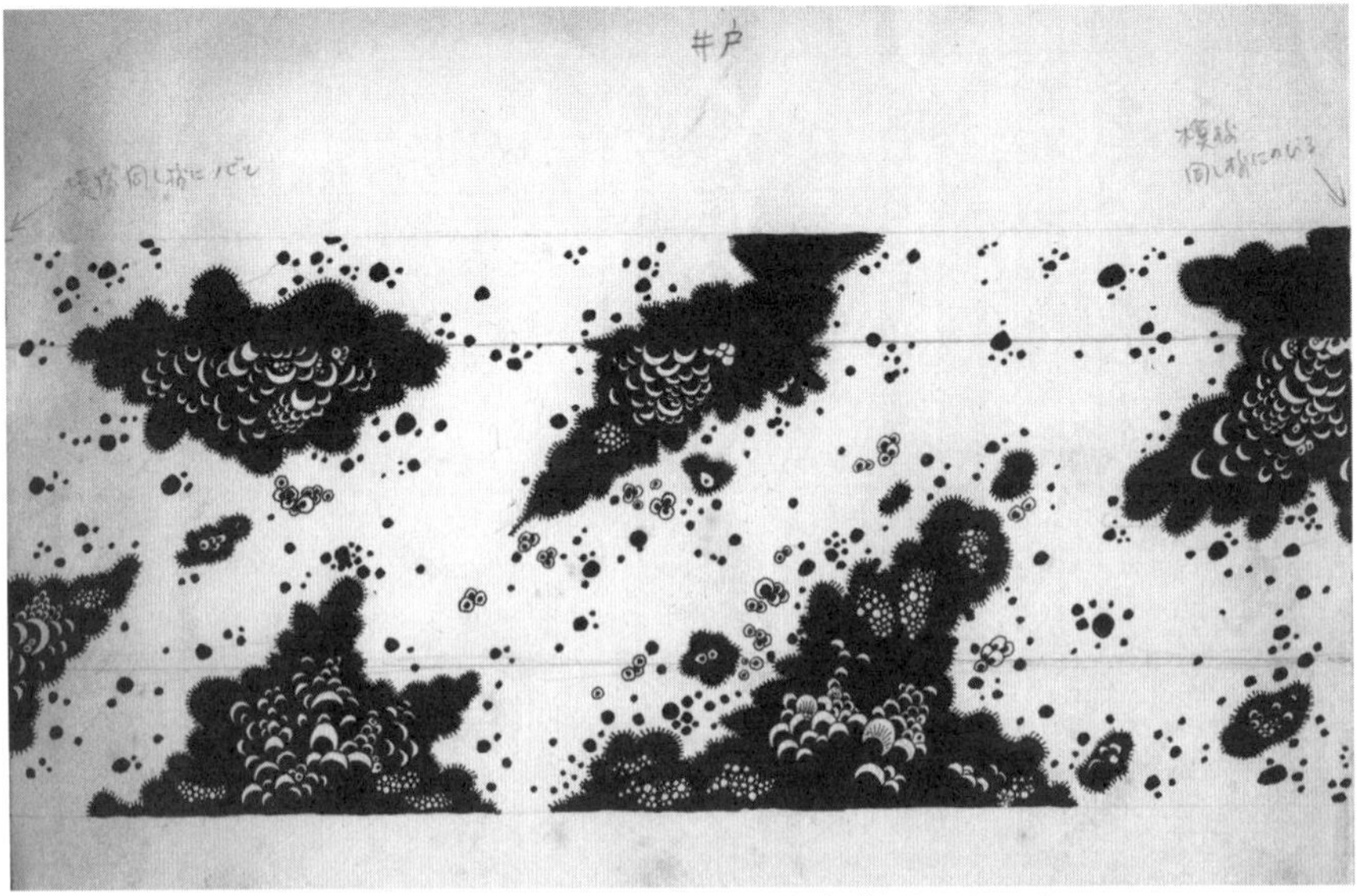

写真11ｃ　藤野一友原画　サロメ舞台装置図（1960）

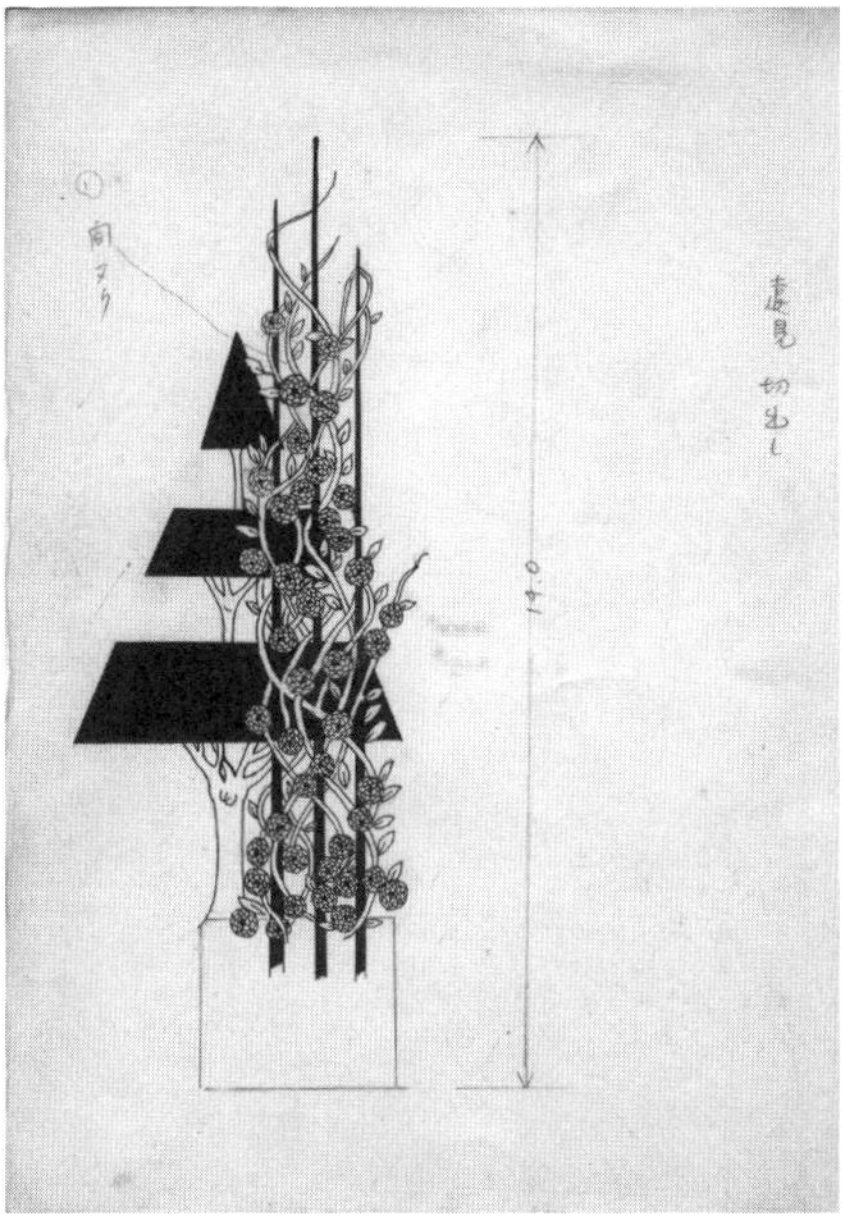

写真11ｅ　藤野一友原画

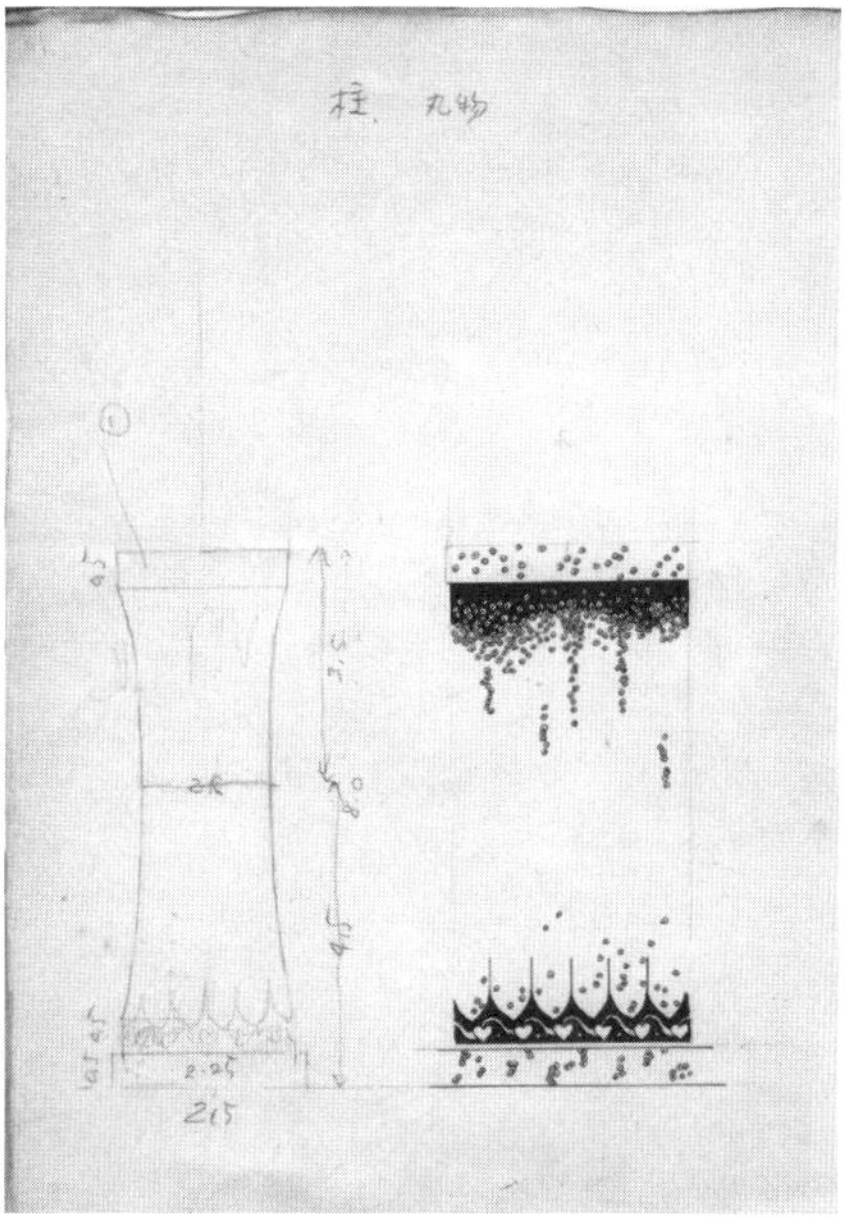

写真11ｄ　藤野一友原画

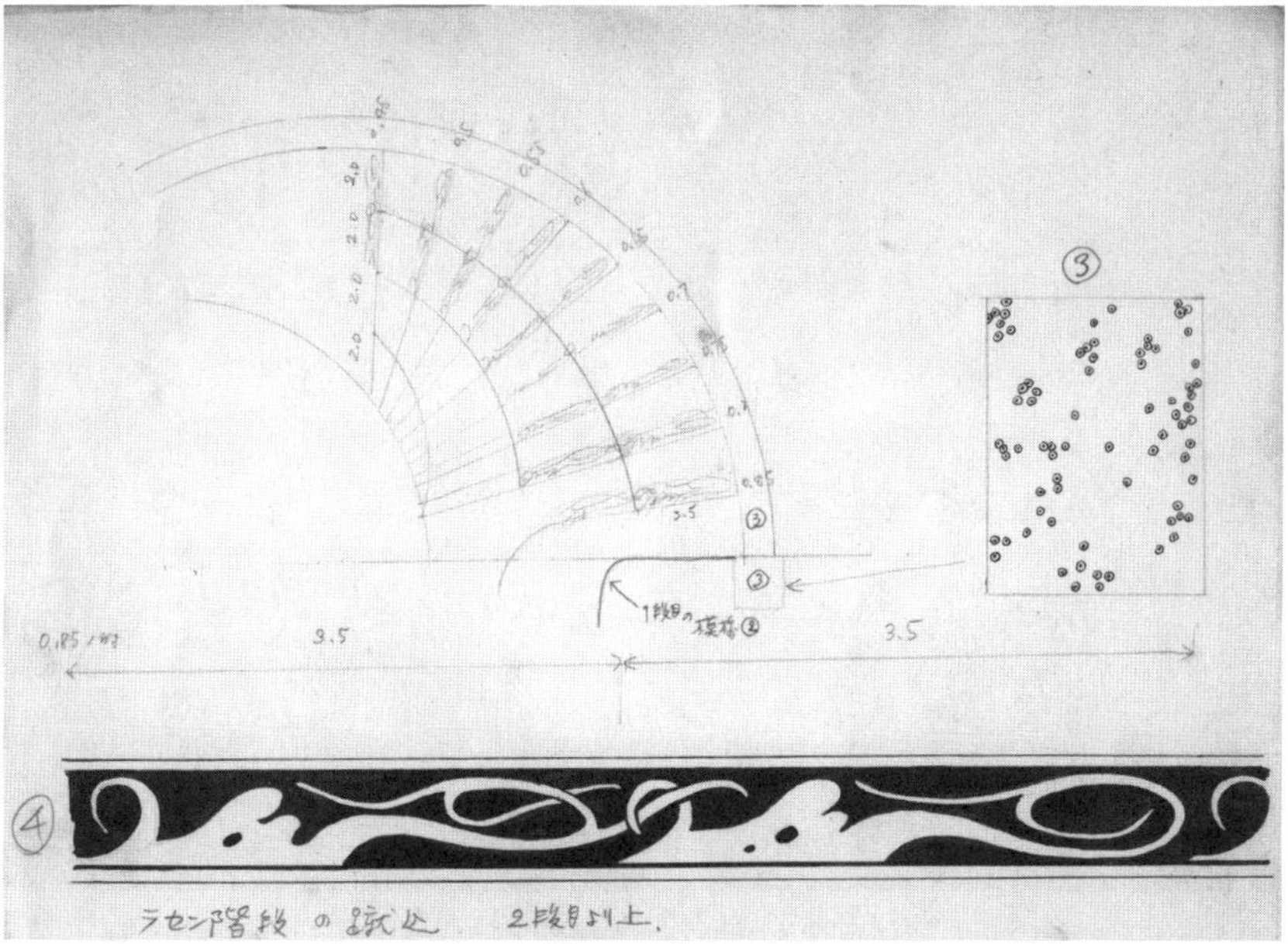

写真11ｆ　藤野一友原画　サロメ舞台装置図（1960）

写真12ｂ　舞台写真

写真12ａ　三島由紀夫と岸田今日子

写真12ｃ　サロメ舞台写真（1960）

写真12ｄ　サロメ舞台写真（1960）

写真12ｅ　サロメ舞台写真（1960）

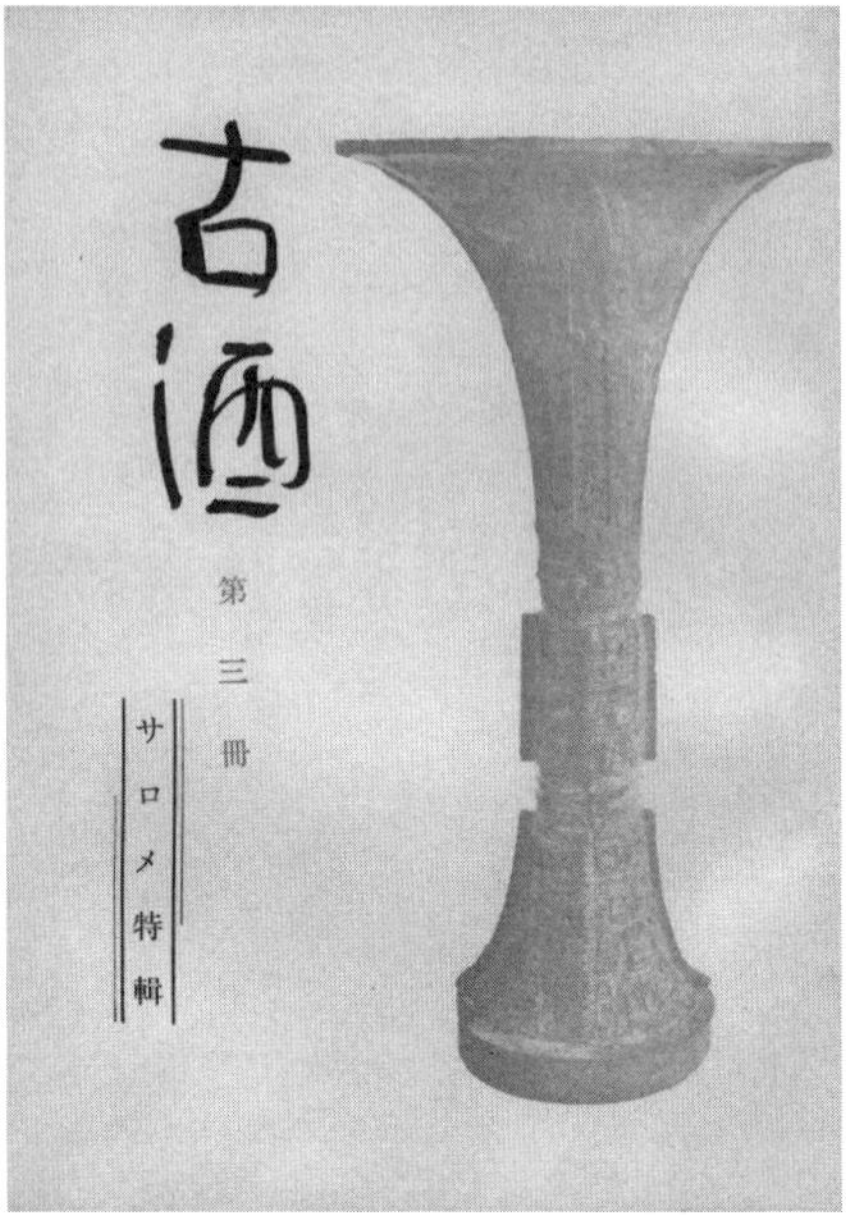

写真13ａ　サロメ時集　古酒（1960）

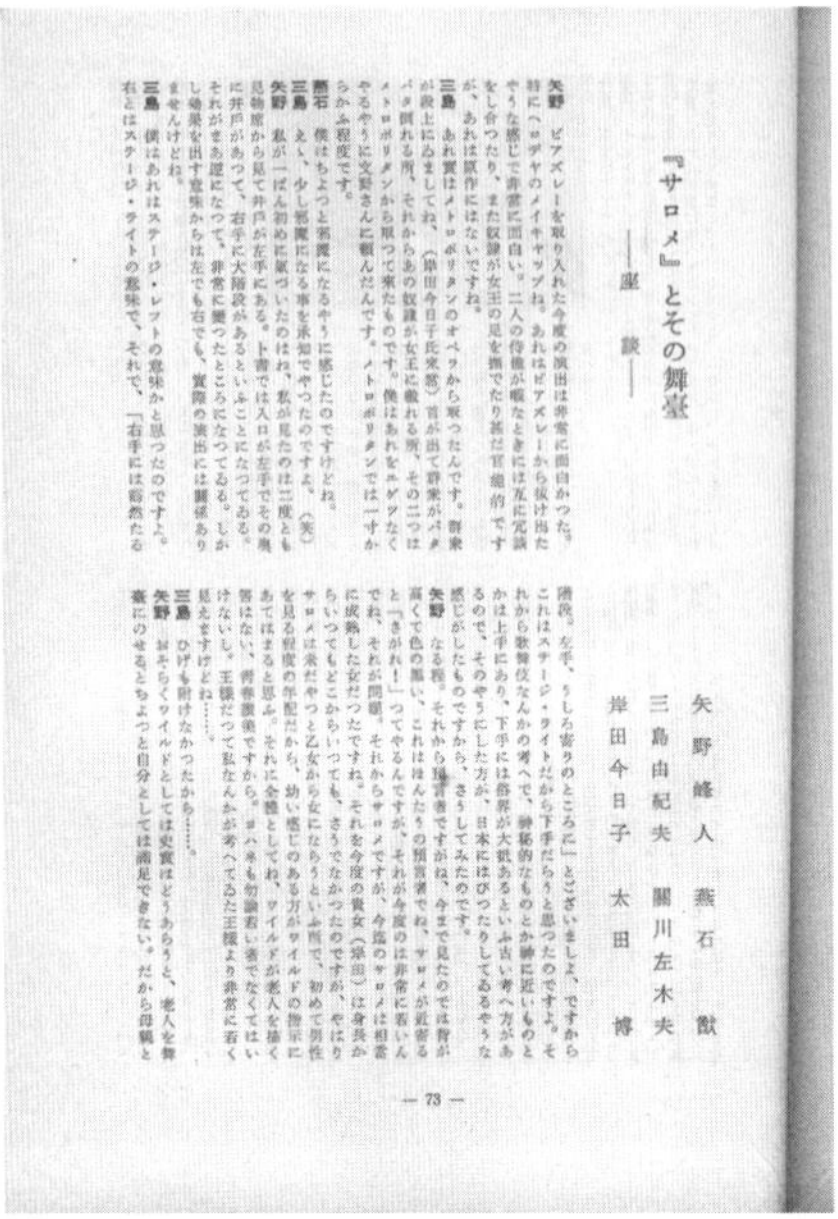
『サロメ』とその舞臺
——座　談——

矢野峰人　燕石猷
三島由紀夫　關川左木夫
岸田今日子　太田博

矢野　ビアズレーを取り入れた今度の演出は非常に面白かつた。特にヘロデヤのメイキヤツプね。あれはビアズレーから抜け出たやうな感じで非常に面白い。二人の侍僮が暇なときには互に冗談をし合つたり、また奴隷が女王の足を撫でたり甚だ官能的ですが、あれは原作にはないですね。
三島　あれ實はメトロポリタンのオペラから取つたんです。群衆が段上にゐましてね、（岸田今日子氏來席）首が出て群衆がバタバタ倒れる所、それからあの奴隷が女王に戯れる所、その二つはメトロポリタンから取つて來たものです。僕はあれをエゲツなくやるやうに文野さんに頼んだんです。メトロポリタンでは一寸からかふ程度です。
燕石　僕はちよつと邪魔になるやうに感じたのですけどね。
三島　えゝ、少し邪魔になる事を承知でやつたのですよ。（笑）
矢野　私が一ばん初めに氣づいたのはね、私が見たのは二度とも見物席から見て井戸が左手にある。ト書では入口が左手でその奥に井戸があつて、右手に大階段があるといふことになつてゐる。それがまあ逆になつて、非常に變つたところになつてゐる。しかし効果を出す意味からは左でも右でも、實際の演出には關係ありませんけどね。
三島　僕はあれはステージ・レフトの意味かと思つたのですよ。右とはステージ・ライトの意味で、それで、「右手には豁然たる階段。左手、うしろ寄りのところに」とございましよ、ですからこれはステージ・ライトだから下手だらうと思つたのですよ。それから歌舞伎なんかの考へで、神秘的なものとか神に近いものとかは上手にあり、下手には俗界が大抵あるといふ古い考へ方があるので、そのやうにした方が、日本にはぴつたりしてゐるやうな感じがしたものですから、さうしてみたのです。
矢野　なる程。それから預言者ですがね、今まで見たのでは背が高くて色の黒い、これはほんたうの預言者でね、サロメが近寄ると「さがれ！」つてやるんですが、それが今度のは非常に若いんでね、それが問題。それからサロメですが、今迄のサロメは相當に成熟した女だつたですね。それを今度の貴女（岸田）は身長からいつてもどこからいつても、さうでなかつたのですが、やはりサロメは未だやつと乙女から女にならうといふ所で、初めて男性を見る程度の年配だから、幼い感じのある方がワイルドの指示にあてはまると思ふ。それに全體としてね、ワイルドが老人を描く筈はない、青春讃美ですから。ヨハネも勿論若い者でなくてはいけないし。王様だつて私なんかが考へてゐた王様より非常に若く見えますけどね……。
三島　ひげも附けなかつたから……。
矢野　おそらくワイルドとしては史實はどうあらうと、老人を舞臺にのせるとちよつと自分としては満足できない。だから母親と

— 73 —

写真13ｂ　「サロメ」とその舞台

二十年来、折りにふれて『サロメ』のことを考えてきたので、私の脳裡には、もうほとんど『サロメ』の舞台が出来上っている。あらゆる演出プランが整っている。その一つ一つが秘策であって、全部事前に明かしてしまうわけには行かない。まあ、初日の舞台をたのしみにしていただきたい[3]」と記している。

　舞台見取り図、舞台装置図（写真10ａ、ｂ）、装置担当の藤野一友の原画（写真11ａ、ｂ、ｃ、ｄ、ｅ、ｆ）、写真（写真12ａ、ｂ、ｃ、ｄ、ｅ）が残されている。

　昭和35年4月16日、東京でのサロメ公演の千秋楽に東横ホールにおいて「『サロメ』とその舞台」というタイトルで座談が行われた。出席者は、矢野峰人、三島由紀夫、岸田今日子、燕石猷、關川左木夫、太田博であった。（写真13ａ、ｂ）舞台装置に関して、

「**矢野**　背景なんか書くのに随分時間がかかってるでせうが。
三島　ええ、あれは実によくやってくれました。藤野さんかういふ事に凝りだしたらもうきりのない人で、自分で皆とことこ書いちやうんです。大へんな凝り方ですよ。
燕石　今度関西へ持つていかれるときには、あれをまた向ふで一一造るんですか。
三島　さあ僕存じません。持つてくのも大変だな——。同じデザインで向ふで描くのかもしれません。伊馬春部さんが舞台美術史に残るだろうといふのですよ。
矢野　それは残るでせう。ビアズレーを背景に使ったことは、少なくとも初めてでせうからね[4]」と記されている。

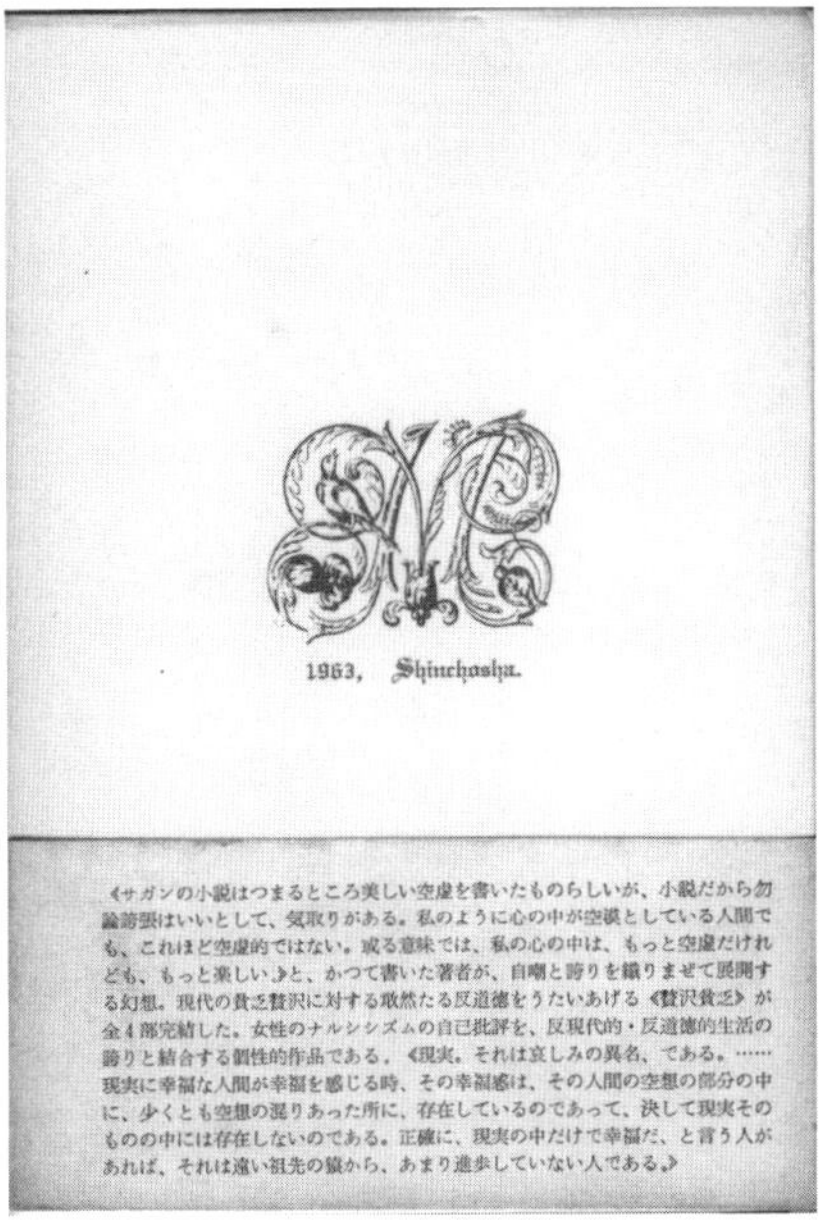

写真14ｂ　贅沢貧乏　函裏（1963）

写真14ａ　森茉莉著　贅沢貧乏　函表

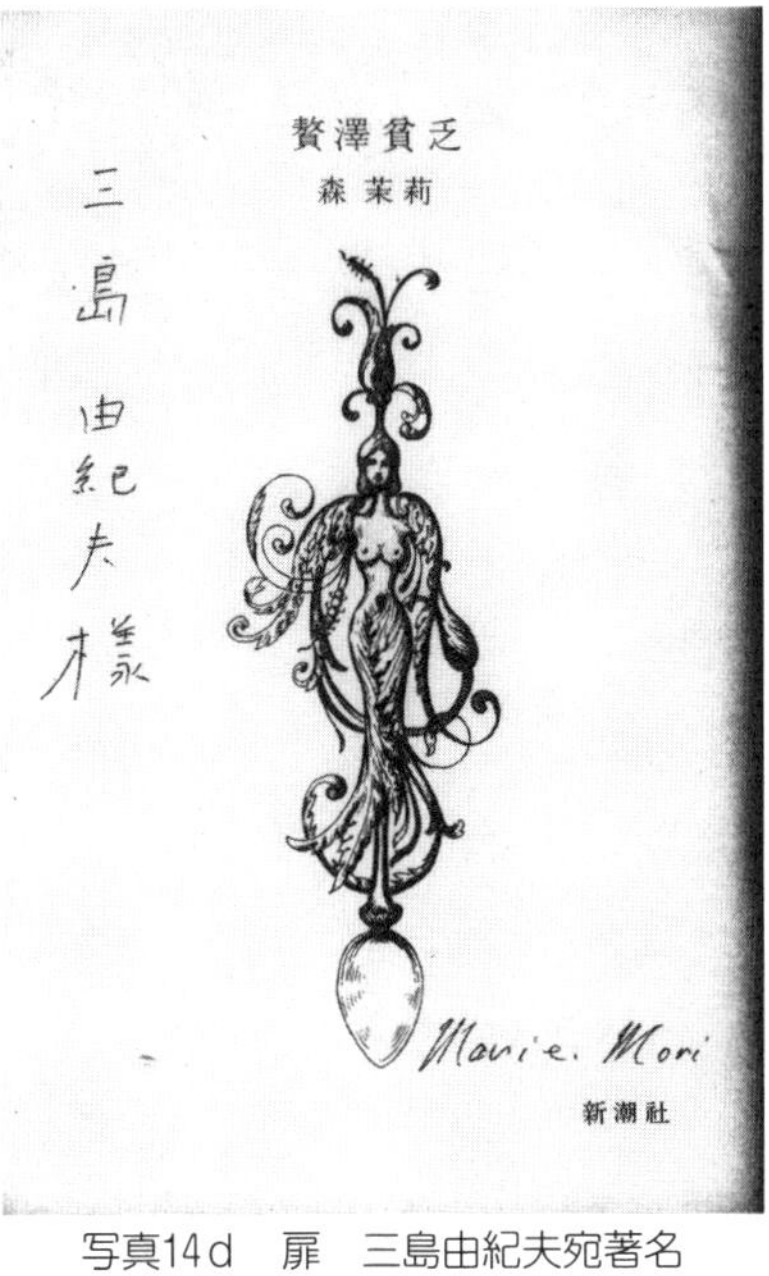

写真14ｄ　扉　三島由紀夫宛著名

写真14ｃ　贅沢貧乏　表紙

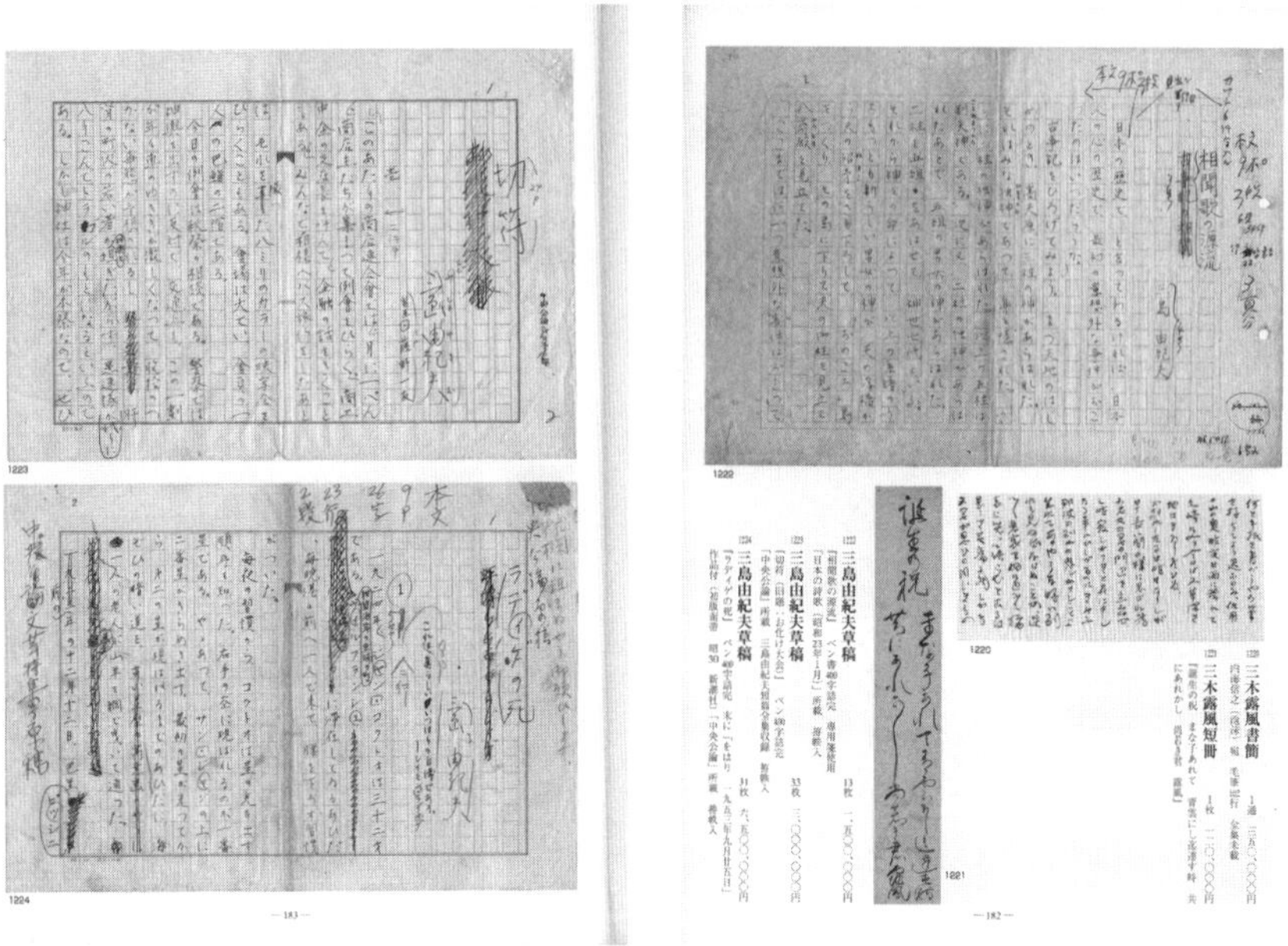
1223

1222

1220

1221

1224

1220 三木露風書簡　内海信之（泡沫）宛　毛筆12行　全集未載　1通　三五〇、〇〇〇円

1221 三木露風短冊　『誕生の祝　まな子あれて　青雲にし北斗す時　共にあれかし　消石き君　露風』　1枚　一二〇、〇〇〇円

1222 三島由紀夫草稿　『相聞歌の源流』　ペン書400字詰完　専用箋使用　「日本の詩歌（昭和23年1月）」所載　帙入　13枚　一、五〇〇、〇〇〇円

1223 三島由紀夫草稿　『切符（旧題：お化け大会）』　ペン400字詰完　「中央公論」所載　三島由紀夫短篇全集収録　帙入　33枚　三、〇〇〇、〇〇〇円

1224 三島由紀夫草稿　『ラディゲの死』　ペン400字詰完　末に「をはり　一九五三年九月廿五日」　作品付（初版函帯　昭30　新潮社）「中央公論」所載　帙入　31枚　六、五〇〇、〇〇〇円

—183—　—182—

写真15ａ　玉英堂稀覯本書目（第282号）

第六章　贅沢貧乏

森茉莉著「贅沢貧乏」（写真14ａ、ｂ、ｃ、ｄ）は、昭和38年5月10日に新潮社より刊行された。装幀は藤野一友である。函、表紙、扉に挿画がある。帯に「貧乏独り暮しのグチかと見えてさに非ず、生活の珍妙と夢の豪華を〈吾輩は猫である〉風の自由な語りで織りなした批評的自画像。見かけ贅沢じつは貧乏の現代に侮蔑をなげつけて空想王国の絵巻を見せる芳醇の作品」とある。

三島由紀夫宛森茉莉献呈署名本（写真14ｄ）が残されている。

第七章　切符

「切符」は昭和38年8月号の文芸雑誌「中央公論」に掲載された。

切符

三《み》島《しま》由《ゆ》紀《き》夫《を》

装畫・藤野一友

壹

このあたりの商店連合會では、月に一ぺん、商店主たちが集まつて例會をひらく。商工中金の支店長を呼んで、金融の話をきくこともある。みんなで箱根へバス旅行をしたあとは、それを撮つた八ミリのカラーの映寫會をひらくこともある。會場は大てい、會員の一人の巴飾の二階である。

—314—

写真15ｂ　中央公論（昭和38年）

2006年1月発行の「玉英堂稀覯本書目第282号自筆本」に「切符」の原稿が掲載されている。（写真15ａ）

「1223 三島由紀夫草稿 33枚 三、〇〇〇、〇〇〇円
『切符（旧題：お化け大会）』ペン400字詰完
『中央公論』所載 三島由紀夫短編全集収録 拵帙入」とある。原稿の一枚目の三島由紀夫の署名と「壱」の間に「装画藤野一友」と記されている。

「切符」の装画を担当したのは、藤野一友であった。（写真15ｂ）

第八章 沈める瀧（新書普及版）

「沈める瀧」は、昭和30年1月号から4月号の文芸雑誌「中央公論」に掲載され、同年4月30日に中央公論社から単行本が刊行された。その後、新書版が2回刊行されている。1回目は、

写真16ａ 沈める瀧（新書版）

写真16ｂ 沈める瀧 新書版カバー（1963 中央公論社）

写真17ａ　NLTの顔（1964）

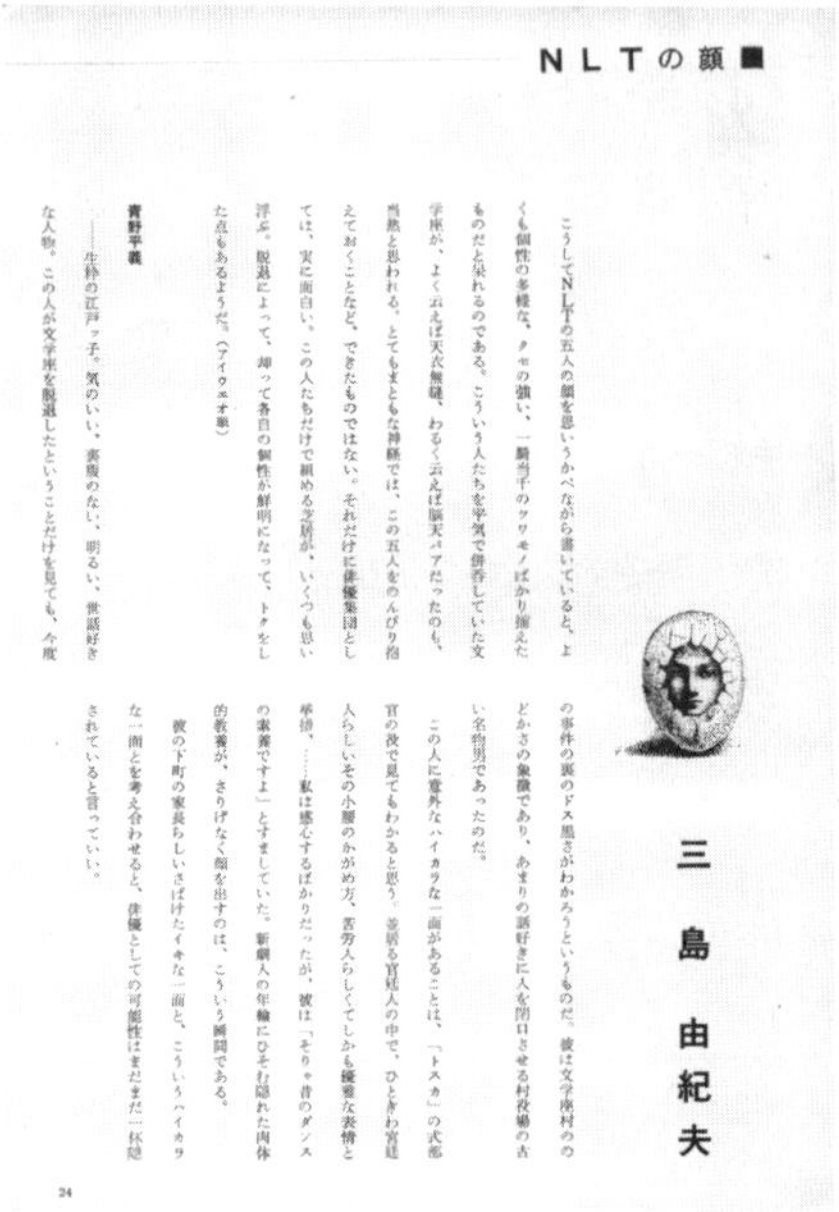
NLTの顔

三島由紀夫

こうしてNLTの五人の顔を思いうかべながら書いていると、よくも個性の多様な、クセの強い、一騎当千のツワモノばかり揃えたものだと呆れるのである。こういう人たちを平気で併呑していた文学座が、よく云えば天衣無縫、わるく云えば脳天パアだったのも、当然と思われる。とてもまともな神経では、この五人をのんびり抱えておくことなど、できたものではない。それだけに俳優集団としては、実に面白い。この人たちだけで組める芝居が、いくつも思い浮ぶ。脱退によって、却って各自の個性が鮮明になって、トクをした点もあるようだ。（アイウエオ順）

青野平義

――生粋の江戸ッ子。気のいい、裏腹のない、明るい、世話好きな人物。この人が文学座を脱退したということだけを見ても、今度の事件の裏のドス黒さがわかろうというものだ。彼は文学座村ののどかさの象徴であり、あまりの話好きに人を閉口させる村役場の古い名物男であったのだ。

この人に意外なハイカラな一面があることは、「トスカ」の式部官の役で見てもわかると思う。並居る宮廷人の中で、ひときわ宮廷人らしいその小腰のかがめ方、苦労人らしくてしかも優雅な表情と挙措、……私は感心するばかりだったが、彼は「そりゃ昔のダンスの素養ですよ」とすましていた。新劇人の年輪にひそむ隠れた肉体的教養が、さりげなく顔を出すのは、こういう瞬間である。

彼の下町の家長らしいさばけたイキな一面と、こういうハイカラな一面とを考え合わせると、俳優としての可能性はまだまだ一杯隠されていると言っていい。

24

写真17ｂ　三島由紀夫

昭和31年10月5日に布装、機械函入りで刊行された。この本の装畫は生澤朗であった。2回目は、昭和34年8月25日にカバー付きの新書普及本が刊行された。この本の装幀を藤野一友が担当した。（写真16ａ、ｂ）

帯に「ダイナミックなダム建設を背景に青年技師と人妻との人工恋愛を描く三島由紀夫の野心的長篇」とある。

第九章　NLTの顔

NLTは昭和39年、文学座が分裂して設立された。昭和39年5月に「NLTの顔」がN・L・T・事務所より刊行された。この本の表紙とカットを藤野一友が担当した。（写真17ａ、ｂ、ｃ）

青野平義、奥野匡、荻昱子、賀原夏子、北原治一、丹阿弥谷

写真17ｃ　藤野一友　イラスト

写真18ａ　NLT　創刊号（1965）

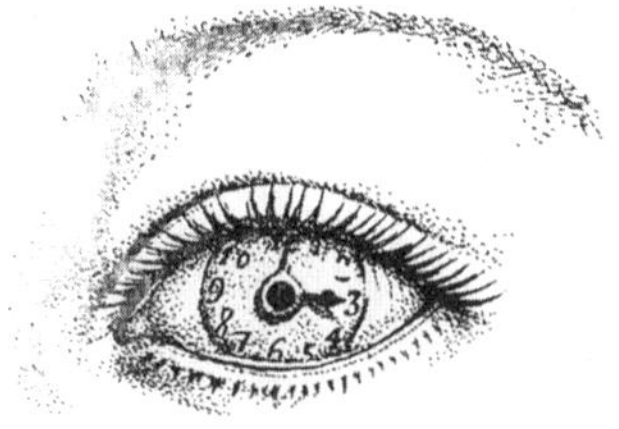

写真18ｂ　藤野一友　イラスト

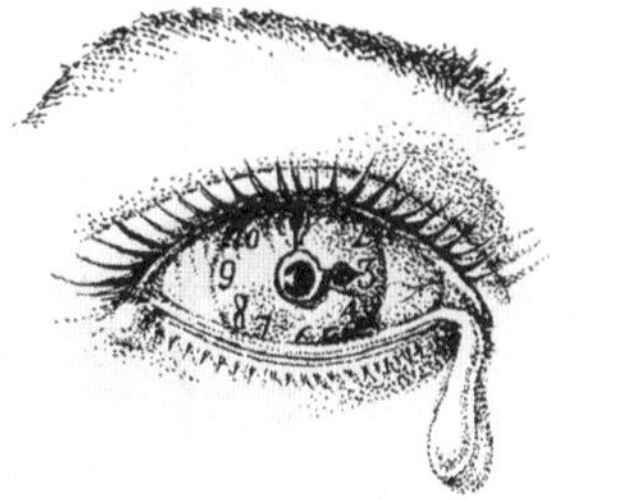

写真18ｃ　藤野一友　イラスト

津子、仁木佑子、眞咲美岐、南美江、宮内順子の他、新人５名の顔が紹介されている。

　また、三島由紀夫と矢代静一による劇団員の紹介がある。三島は、青野平義、加原夏子、北原治一、丹阿弥谷津子、南美江について記している。一方、矢代は、奥野匡、宮内順子、眞咲美岐、荻昱子、仁木佑子について記している。

　岩田豊雄と三島由紀夫は、ＮＬＴの顧問であった。

第十章　ＮＬＴパンフレット（創刊号）

ＮＬＴのパンフレット創刊号は、昭和40年3月に発行された。創刊号は、矢代静一の人と作品についての特集が掲載された。表紙とカットを藤野一友が担当した。（写真18ａ、ｂ、ｃ）

　東野英治郎の「俳優座時代の矢代静一」の項に写真18ｂのイラストが使用され、芥川比呂志の「文学座時代の矢代静一」の項に写真18ｃのイラストが使用されている。

　ＮＬＴグラフ１に「〝喜びの琴〟の上演　５月」がある。賀原夏子は、「文学座を辞めたばかりのお先真っ暗。ＮＬＴをつくって、マスコミの仕事はぼちぼちやっていたけれど、当分舞台などは、と思っていた矢先、例の〝喜びの琴〟出演の話が決った。青野、奥野、賀原。日生劇場である。私達の手で、この芝居を正しく創り上げ、私達がつらい思いをしてまで文学座を辞めなければならなかった、その何故か！を、この公演で皆様にわかっていただかなければ……。作者の三島さん始めＮＬＴ一同真剣だった。それが稽古が進むにつれ、私達は次第に情けなくなって来た。この芝居の何処が気に入らなくて、文学座はあんなに怒ったのだろう？そう思ったら辞めた事が、お風呂か

写真19ａ　NLT　第二集（1965）

写真19ｂ　近代能楽集

ら出た時の様に、むしろさっぱりして来た」と記している。

また、「研究会のこと　4〜12月」に「NLTでは、同人達の勉強の機会を出来るだけ多く持ちたいということで、研究生と一緒に大体月3回の研究会を致しました」として、三島由紀夫を講師に「宿無団七時雨傘」の歌舞伎研究を行なったことを写真入りで報告している。

第十一章　NLT　近代能楽集研究

NLTのパンフレットの第二集は「特集　近代能楽集研究」で、昭和40年5月に発行された。新宿文化提携アート・シアター公演である。「班女」「弱法師」が公演された。表紙画は、藤野一友で、昭和40年3月のものと、同一の画である。（写真19ａ、ｂ）

「近代能楽集について」のタイトルで、昭和40年4月29日夜に、六本木楽満にて行われた三島由紀夫、奥野健勇、水野晴康、寺崎嘉浩の座談会が掲載された。

三島は、「近代能楽集の成立」について「謡曲をいっぱい読んで見て、まあ出来そうなものからやって、一番最初が『邯鄲』だった。そしていくつか書いてて『道成寺』を書いたり『弱法師』を書いたり『熊野』なんか書いたりしたけれど、しかし今となっては、僕の中で少し泉がかれてしまった。というのは、こういうものは自分にその発見の喜びがあるうちはどんどん書けるんだけどある程度やってしまうと、あとは型になっちゃってね、そうするともう面白くないんだな。将来はよほど自分の心の中に起った事件なんかが、どうしても〝近代能楽集〟の形を借りなければ出せないようなものが出てくるのかも

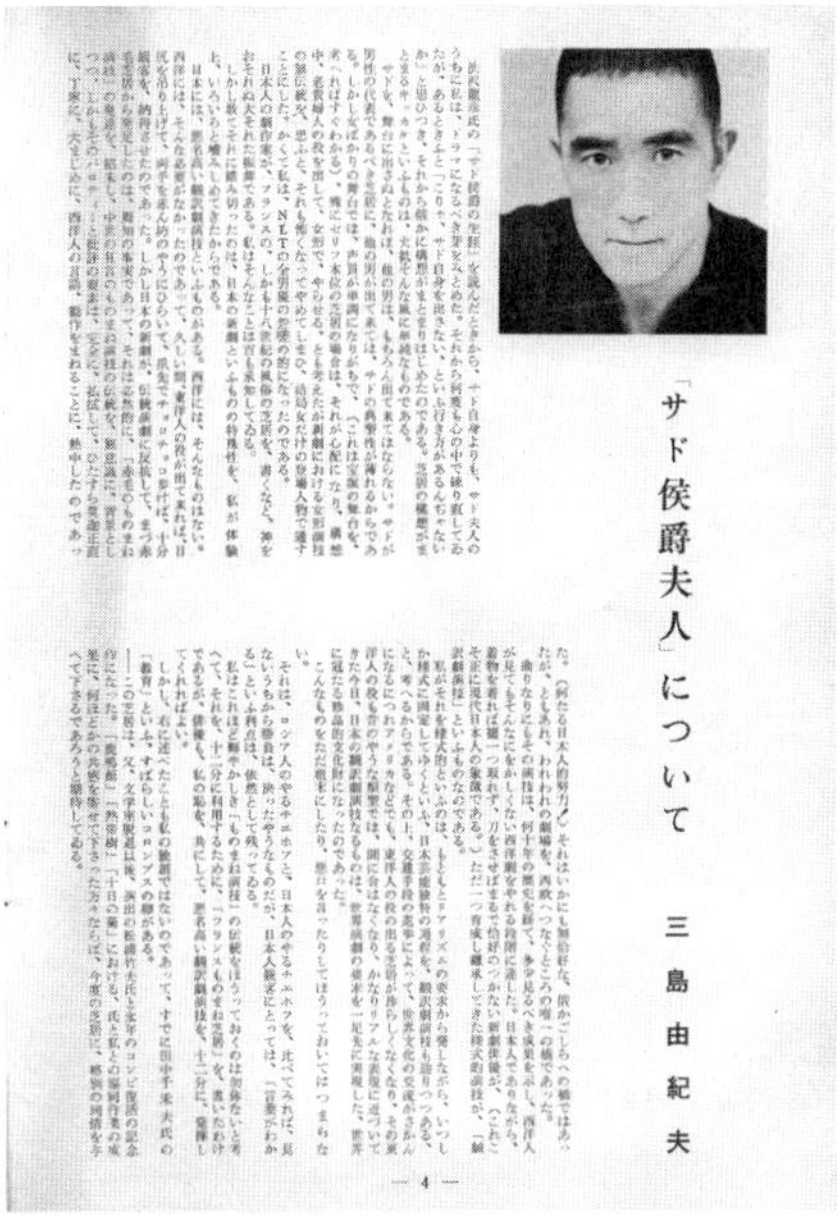
「サド侯爵夫人」について
三島由紀夫
— 4 —

写真20ｂ　「サド侯爵夫人」について

写真20ａ　NLT サド侯爵夫人（1965）

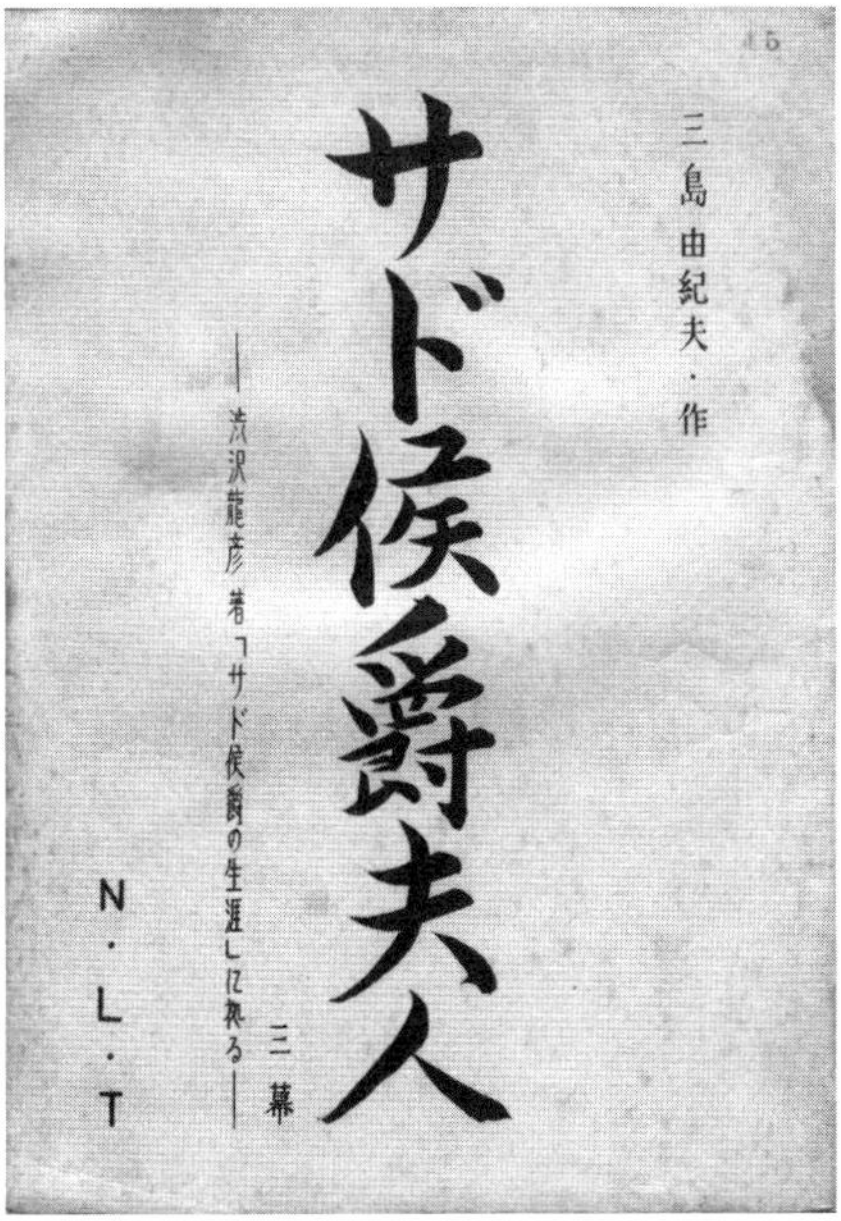

写真20ｃ　台　本

知れないが……。そういうものがない限り、強いて書かないでいようと思う[5]」と説明している。

また、「近代能楽集上演に関する内外の意見と記録」として写真入りで6ページに亘り詳細な上演記録や三島由紀夫の論評、エッセイの抜粋などが掲載されている。

第十二章　NLT　サド侯爵夫人

NLTのパンフレットの第三集は「サド侯爵夫人」で、昭和40年11月に発行された。（写真20ａ、ｂ）新宿・紀伊國屋ホール第2回提携公演である。三島戯曲の最高傑作「サド侯爵夫人」の初演である。演出は松浦竹夫、出演者は、丹阿弥谷津子、南美江、真咲美岐、宮内順子、賀原夏子、村松英子であった。三島の「サド侯爵夫人について」、澁澤龍彦の「サドと三島

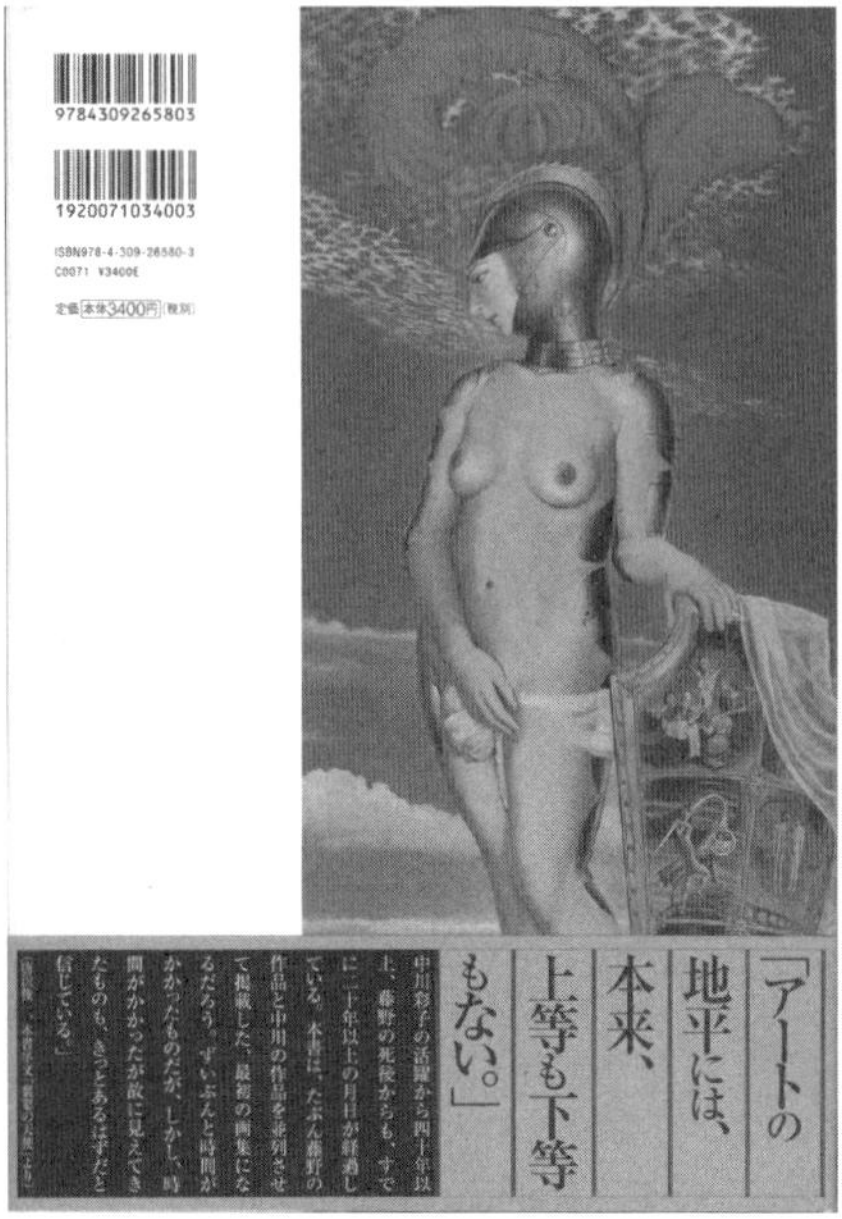

写真21ｂ

写真21ａ　藤野一友＝中川彩子作品集

文学」などが掲載されている。表紙画は、創刊号、第2号と同じ画の色違いである。

公演期間は11月14日から11月29日までであった。この「サド侯爵夫人」の公演中の昭和40年11月23日、37歳の藤野一友は脳卒中で倒れ、その後右半身不随となり、昭和50年11月11日に死去した。(6)

第十三章　藤野一友と中川彩子

藤野一友没後26年目の２００２年8月に、藤野一友の最初の画集となる「天使の緊縛　藤野一友＝中川彩子」が河出書房新社より刊行された。（写真21ａ、ｂ）この画集には、中川彩子の名前で「風俗草紙」「裏窓」等に発表された画も収められている。帯に「三島由紀夫、澁澤龍彦が熱愛した孤高の幻想画

写真22　カテドラル（1961）

写真23ａ　文藝復興　第８集（1958）

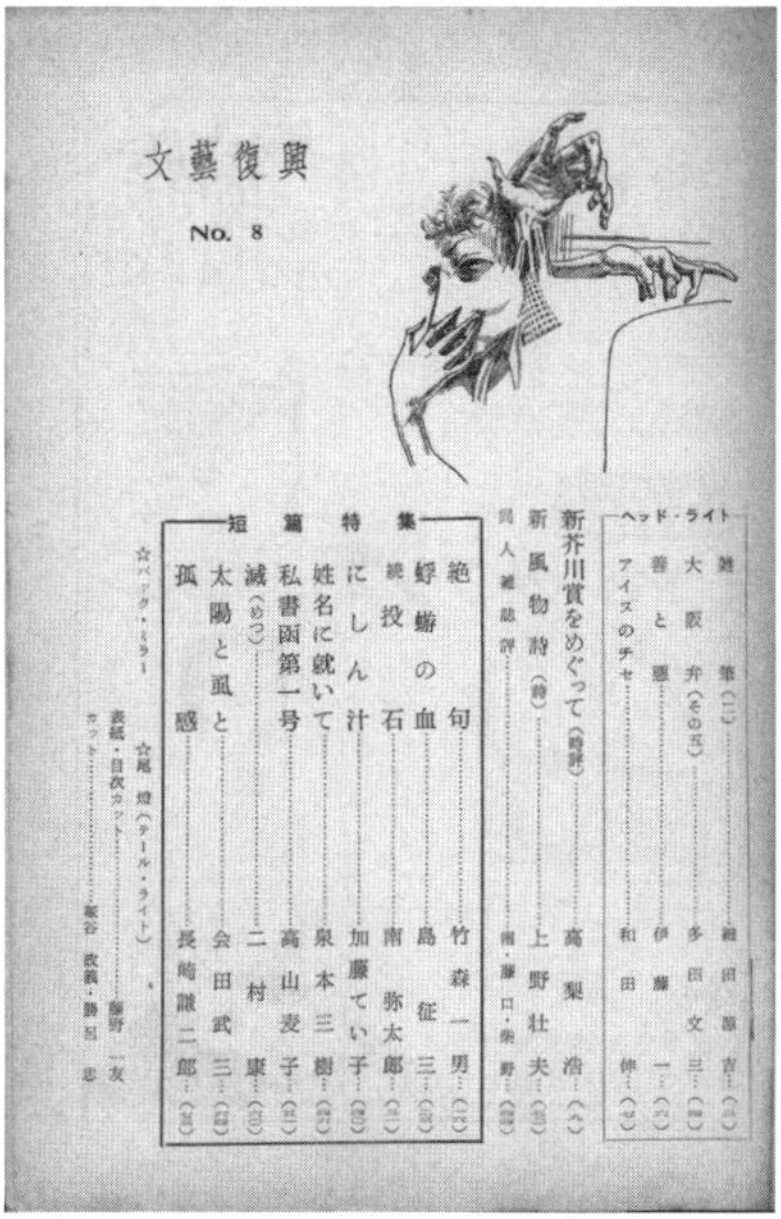
文藝復興

No. 8

ヘッド・ライト

雑筆（二）……細田源吉
大阪弁（その五）……多田文三
善と悪……伊藤一
アイスのチセ……和田伸

新芥川賞をめぐって（時評）……高梨浩……（八）
新風物詩（詩）……上野壮夫
同人雑誌評……南・藤口・柴野

短篇特集

絶句……竹森一男
蜉蝣の血……島征三
続投石……南弥太郎
にしん汁……加藤てい子
姓名に就いて……泉本三樹
私書函第一号……高山麦子
滅（めつ）……二村康
太陽と凮と……会田武三
孤感……長崎謙二郎

☆バック・ミラー
☆尾燈（テール・ライト）
表紙・目次カット……藤野一友

写真23ｂ　文藝復興　第８集　目次

家・藤野一友」とある。

この画集の20ページに「カテドラル」の図版が掲載されている。「1961年　岡上淑子氏蔵」と記されている。（写真22）

三島由紀夫が、「ティツィアーノ風の女の顔がゴシック建築と同一化し、その美しい髪が乱れてあまたの尖塔にまつわりついている絵」と表現したのは「カテドラル」であった。

第十四章　文芸復興とカテドラル

三島由紀夫が「裸体と衣裳」に記した「氏の個展で見出して、早速無心をした」絵とは、「カテドラル」であり、この絵を表紙に使用した雑誌は、「文藝復興」であった。

「文芸復興」では、同じ絵柄を色違いにして何回か使用している。第2集から第14集の表紙を確認した。「カテドラル」を

写真24　文藝復興　第11集（1959）

使用したものに第8集と第11集があった。第8集は昭和33年3月5日に刊行され、藤野一友は表紙と目次（写真23ａ、ｂ）を担当した。第11集は昭和34年3月5日に刊行され、「カテドラル」は色違い（写真24）で使用されている。三島の日記の記載は昭和33年12月1日なので、第11集はそれより後の刊行である。三島が記した「ある雑誌」は、「文藝復興」第8集ということになる。

写真25　カテドラル　オリジナル油彩（1961）

昭和36年に藤野一友は「カテドラル」を油彩で描いた。この「カテドラル」のオリジナルの油絵を観る機会を得た。[7]（写真25）画集「天使の緊縛」に掲載された図版は12×12㎝の大きさであった。オリジナルの油絵は額に収められていて、実測で43×43㎝あり、美しさも繊細さも圧巻であった。

（三島由紀夫研究家）

註
1　三島由紀夫：裸体と衣裳、決定版三島由紀夫全集第30巻、新潮社、２００３
2　澁澤龍彦：琥珀の虫、三島由紀夫全集第二巻月報、新潮社、１９７２
3　三島由紀夫：「サロメ」の演出について、「サロメ」チラシ、１９６０
4　三島由紀夫・矢野峰人：「サロメ」とその舞台、古酒、新樹社、１９６０
5　三島由紀夫：近代能楽集について、ＮＬＴパンフレット　第2集、ＮＬＴ、１９６０
6　藤野一友略年譜：「美術史探索學入門　美術館時代が掘り起こした作家達」展図録、目黒区美術館、１９８８
7　藤野一友：カテドラル、天使の緊縛　藤野一友＝中川彩子、河出書房新社、２００２

資料

〈三島没後五十年〉クロニクル

山中剛史

　令和二年、というよりも二〇二〇年は、三島由紀夫没後五十年という区切りの年でもある。没後五十年だの生誕百年だのといったものは、躊躇なくいってしまえば三島由紀夫とは関係のない主に出版業界による恣意的なものだと捉えることもできる。一方で、例えば没後二十年の時の出版フェアと同期するような形で展開された三島演劇上演や評伝の出版、三十年に合わせた『決定版三島由紀夫全集』の発刊、各種回想記の出版など、その盛り上がりのなかで、促されるように新たな資料や証言が出現し、全集や研究上重要な三島論などが出版されてきたこともまた事実である。とりわけ没後三十年であった二〇〇〇年以降はそれが加速した気味があり、没後三十五年、四十年、四十五年と、このところ様々な企画やイベント、出版や上映上演が重ねられてきた。しかしながら同時に、それまでの十年単位が五年単位になって繰り返されると、少々食傷気味になるというのが正直なところであったし、実際、盛り上がりも先細りしていくような印象もなくもなかった。二〇一八年末のＴＰＰ発効による三島の著作権延長も、没後五十年への期待を削いだ要因としてあったのかもしれない。

　では没後五十年の今年はどうだったであろうか。世界的に未曾有のコロナ禍という最悪のタイミングではあったが、一方でまた充実した実りがあったこともまた確かであったといえる。以下、稿者の私的体験を交えながら、三島没後五十年の各種イベント、出版、上演などの状況を跡づけ〝クロニクル〟としてここに記録しておきたい。

＊

　もともと二〇二〇年は、三島没後五十年ということで三島に関する各種イベントやシンポジウムなどが予定されていた（末尾の関連リストには中止や延期になったものも記した）。前年には、三島由紀夫文学館創立二十周年イベントがあり、フランスではパリ＝ディドロ大学でパリ三島由紀夫国際学術会議も開催され、ＮＨＫでの三島特集番組も放映された。実際、パリでのそれは二〇一九年ではあるが「50 Years Later, Another MISHIMA?」と題された三島没後五十年イベントの嚆矢であり、コロナ禍直前であったために三島没後五十年最大のそして唯一の国際的イベントとなってしまったのは皮肉なことである。

そうした流れを経て、さて二〇二〇年ということで、年明けの一月には歌舞伎座で「鰯売恋曳網」の上演（正月二日にテレビ生中継）、また終戦後に構想されていた作品集『夜告げ鳥』刊行があり、一月十八日、まずは町田市民文学館で三島由紀夫展が三月二十二日までの会期でスタートした。「肉体」という角度から三島に迫るもので、折から映画「三島由紀夫vs東大全共闘―50年目の真実」の宣伝も始まったこともあって連日かなりの賑わいを見せていた。記念イベントの映画上映会や作品朗読、また講演（佐藤秀明、高橋睦郎）も盛況であった。

しかし、一月に初の新型コロナウイルス国内感染者が出て以来感染者数は徐々に増大。町田での三島由紀夫展は、急遽予定を変更して三月一日を以て終幕、以後に予定されていたトーク（藤田三男）はキャンセルとなってしまった。

とはいえ、この頃はそれで全てが中止になってしまったというわけではない。たとえば稿者は、三月一日に六本木のストライプハウスギャラリーでの「わが友ヒットラー」上演に赴いている。マスク着用、幕間には換気をするといったなかで観劇であった。三島由紀夫の二次創作ともいうべき森村泰昌個展での展示（原美術館）や、石塚公昭による人形や写真作品「椿説男の死」（ふげん社）といったものもあった。またそういった状況のなかで、三月二十日に映画「三島由紀夫vs東大全共闘―50年目の真実」が封切られた。稿者は早々に近くの劇場へ観に行ったが、テレビなどで繰り返し宣伝された効果か大きな話題となり、一時は売り切れた映画パンフレットがプレミア価格でネットオークションに出品されていたほどであった。

しかし四月の緊急事態宣言以降はこうした状況も変化、コロナをめぐる状況もより深刻となり、演劇上演なども軒並み中止されていった。七月に上演を予定されていた花組芝居の「地獄変」も発売と共にチケットは完売していたが、翌年に上演延期とアナウンスが出て代金払い戻しとなってしまった。たとえば五月、稿者は「没後50年三島由紀夫・短篇作品の魅力に迫る」という連続講座の講師を依頼され準備していたのだが、最初の二回は延期になり、六月半ばから九月までの開講となった。カルチャーセンターなどでの三島関連講座も例年に比べ今年はかなり多かった。

一方で、三島関連書籍の出版はといえば、四月までに熊野純彦『人と思想　三島由紀夫』、文藝別冊『三島由紀夫１９７０』、富岡幸一郎『天皇論―江藤淳と三島由紀夫』、内海健『金閣を焼かねばならぬ―林養賢と三島由紀夫』といったような単行本やムックが刊行されていたが、その後は出版を注目の集まる命日に標準を合わせるためかしばらくはなりを潜めるといった形となっていた。ただし、六月には三島没後五十年特集雑誌の第一弾として『季刊文科』（令和二年夏季号）が出た。

夏、前年より稿者の監修で準備していた三島由紀夫文学館での没後50年記念特集展「三島由紀夫の1970—時代との疾走'68～'70—」は会期を繰り下げて幕を開けたものの、三島関連イベント、演劇上演などが少しずつ再開されていくのは初秋頃からであった。八月末から九月にかけて、「班女」「弱法師」「サド侯爵夫人」といった小劇場での上演が続いた。「弱法師」と「サド侯爵夫人」は実際に赴いたが、入場時の消毒および検温、劇場内ではフェイスシールドが配布されマスクの上から着用しての観劇であった。三条会による「サド侯爵夫人」は一公演二十五席限定で、むしろゆったりと落ち着いて観劇できたことを覚えている。

日生劇場では、九月二十一日から三島由紀夫没後50周年企画として「MISHIMA2020」が開幕。「班女」「橋づくし」「真夏の死」「憂国（死なない「憂国」）」が上演された。特に「憂国」は、舞台をコロナ禍の現在に移し替えた翻案的作品で、良くも悪くも五十年目にして可能になったアダプテーションの一例を観る思いであった。劇場では消毒、検温、マスクはもちろん、チケットのもぎりも自分で行うという形でコロナ対策が徹底され、公演はネット中継も行われた。また、秋には市民劇団美洲座による「Aphrodite三島由紀夫物語」、Croix Project「—憂国二・二六—」が上演されたが、こうした「三島由紀夫」自身の物語化上演というのも没後五十年の新しい傾向であろう。

この頃になると、三島を扱う新聞雑誌記事も増え、一足早く九月発売『すばる』十月号の三島特集号が出たほか、西法太郎『三島由紀夫事件50年目の証言—警察と自衛隊は何を知っていたか』を皮切りに、十月には宇神幸男『三島由紀夫vs音楽』、中央公論特別編集『彼女たちの三島由紀夫』、佐藤秀明『三島由紀夫—悲劇への欲動』、井上隆史『暴流の人　三島由紀夫』、浜崎洋介『三島由紀夫—なぜ死んでみせねばならなかったのか』などが堰を切ったように刊行されはじめていく。

三島文学館では三島由紀夫没後50年記念フォーラム・宮本亜門特別講演「三島由紀夫という、演劇的人生」が開催され、会場の様子は遠隔参加者にzoomによってネット中継された。ネット中継ということでは、三保松原文化創造センターみほしるべでの「三島由紀夫と「天人五衰」」展もある。『豊饒の海』のなかでも「天人五衰」に絞ったもので、翌月には関連映画上映会やトークイベント「三保松原と「豊饒の海」」（安藤礼二、小二田誠二）、「三島由紀夫の世界観」（井上隆史、渡辺真也）も催された。それらは会場のほかにネット配信され、後日youtubeで一般公開されるという形をとっている。また十一月の東京バレエ団三島由紀夫没後50周年記念公演「Ｍ」や、第五十回憂国忌もネット配信されている。コロナ禍によりネットを介したテレワークが浸透してきたことで、秋以降は上演やイベントは三密回避のためにネット配信することが三島関連イベントでも一般的となってきたのである。こうした試みは事態対処のためのものではあろうが、遠隔地の参加希望者やアーカイブという意味でも、一時的なものではなく、コロナ禍以後も継続していくであろう。

　さて、十一月に入ると三島関連書籍、特集雑誌が続々と刊行されはじめていった。十一月初旬発売の各十二月号では、『芸術新潮』『新潮』『文学界』といったところが三島特集を組み、犬塚潔『三島由紀夫と死んだ男―森田必勝の生涯』、本多清『三島由紀夫「最後の１４００日」』、富岡幸一郎『入門三島由紀夫―文武両道の哲学』、櫻井秀勲『三島由紀夫は何を遺したか』、三田益可『三島由紀夫　その愛と献身という徒爾』のほか、既刊書の増補版、新装版なども含めて多数が出版されている。『新潮』や『文学界』は、若い作家による三島作品のトリビュート小説、アダプテーション的作品掲載といったものが目立った。

　それらに加えて、三島自身の著作の文庫版も新たに刊行された。新潮文庫は「初めて出会う新・三島由紀夫」と題し、装幀の一新や、新タイトルの『手長姫・英霊の声』を出したほか、『仮面の告白』『金閣寺』など十一点を新解説を加えた「新版」としてリニューアル、特設サイトでは「わが友ヒットラー」の三島朗読音声を公開といった展開を見せた。文庫といえば、既に中公文庫が今年に入ってから夏までに『太陽と鉄・私の遍歴時代』『文章読本新装版』『谷崎潤一郎・川端康成』『三島由紀夫・石原慎太郎全対話』を刊行、また平凡社ライブラリーでは東雅夫編『幻想小説とは何か―三島由紀夫怪異小品集』が出るなど、没後五十年以降の若い読者のためともいえる刊行が続いた。

　テレビでは、ＮＨＫスペシャル「三島由紀夫50年目の〝青年論〟」、ＥＴＶ特集「転生する三島由紀夫」と二週に渡ってＮＨＫが特集番組を放送。ＮＨＫ-ＦＭの「クラシックの迷宮」も二週にわたり特集を組み、ＣＳの衛星劇場では「没後50年特別企画　三島由紀夫特集」として三島原作映画を連続放映。また東京池袋の新文芸座では「生誕95年・没後50年三島由紀夫文学と映画」が特集上映された。他に、ＴＢＳ「ニュース23」（11月25日放送）が、犬塚潔提供の村上一郎宛三島書簡を初公開（昭45・11・19付）、和歌二首を含む手紙で興味深いものであった。

　ところで、三島没後五十年の最大の収穫といえば、写真集『男の死』出版にとどめを刺す。『男の死』出版については、もう二十年以上前からいろいろと伝え聞いてはいたが、あくまで噂レベルでしかなかった。それが、六月に出た『季刊文科』に寄稿した横尾忠則が、写真集『男の死』がアメリカの出版社（RIZZOLI社）から刊行され、日本では超豪華本として出ると具体的に伝えたのである。稿者はすぐにアマゾンで検索してみたが、確かに刊行予定として既に書影も掲載されており、予約注文を入れた。そして十月、それは届いた。A4判背布装で三島による「篠山紀信論」と横尾忠則「「男の死」始末記」が英文、日文両方で収録されている。価格は日本円で五千円弱。

　その後日本版の超豪華本については十一月になってからマスコミ各社で大々的に報道された。定価五十万円、初版五十部、B2判の超大型の写真集で十一月二十五日刊行というものである（CCCアートラボ刊行）。銀座の蔦屋書店が見本を展示するというので、実際に赴いて閲覧させてもらったが、アメリカ版とは収録写真も構成も異なるもので、よく知られた聖セバスチァンの殉教（『血と薔薇』創刊号）の写真はアメリカ版には収録されず、日本版にのみ収録されている。RIZZOLI社の編集者によれば、三島の遺族より写真集出版の打診があり、物議を醸しそうな内容であるが、没後五十年を前に日本でも北米でも三島への関心が高まっており出版の好機と考えたという（「三島由紀夫幻の写真集米で出版」『信濃毎日新聞』令2・10・18）。稿者は共同通信の取材を受けてコメントしたが、日本版と比べてみると、なぜ米国版には聖セバスチァンの殉教の写真がないのか、楯の会のパレードなどの写真収録は当時の三島のプランにあったものなのかなど、いくつか不明な点も残されている。改めて検証が必要であろう。

　さて、海外での三島イベントといえば、十月から二ヶ月間の予定で、イタリア・トリノ国立大学図書館での三島由紀夫展「MISHIMA MONOGATARI」がコロナの影響で中止となってしまった。関連イベントの講演会、三島原作映画上映や「わが友ヒットラー」上演なども中止となったが、記念論集であるテレサ・チャッパローニ・ラ・ロッカ編『MISHIMA MONOGATARI UN SAMURAI DELLE ARTI』（Lindau）は刊行された。

　没後五十年の盛り上がりも一段落した十二月になってからは、椎根和『VR的完全版　平凡パンチの三島由紀夫』や、藤田三男『三島由紀夫点綴』、日比野啓『三島の子どもたち―三島由紀夫の「革命」と日本の戦後演劇』が出た。海外ではコロナのワクチン供給が開始され始めたというが、年末にいたって東京や大阪では感染者数が急増、未だ見通しは不透明で楽観を許さない状況である。年をまたいで、一月には延期になった花組芝居による「地獄変」上演があり、映画「三島由紀夫vs東大全共闘―50年目の真実」DVD発売を前にTBSで特番「三島由紀夫に魅せられた人たち」（1月11日）があると聞く。また、『国文学』『解釈と鑑賞』休刊によって文学研究的な観点からの三島特集や三島論アンソロジーなどが新たに出版されることはなかったが、その点では、井上隆史による評伝に加え最新情報によって新たに執筆された項目からなる『三島由紀夫小百科』（水声社）刊行が準備されている。

そのほか、例えば三島に関するエッセイを収録した中村哲郎『勘三郎の死―劇場群像と舞台回想』（中央公論新社）や、極めてユニークな三島との死後対談を収録した高橋睦郎『深きより―二十七の聲』（思潮社）といった注目すべき書物も刊行されている。加えて、ここには記しきれなかったが、新聞や雑誌に発表された記事、エッセイ、論文、座談会なども数多くあり、没後五十年の流れはこのまま春あたりまで継続するであろう。

まさにコロナに終始した没後五十年ではあったが、東京五輪延期も関係してか、それなりにあれこれのイベントや上映、上演が催された一年ではあった。奇しくも先に言及した『男の死』出版編集者が没後五十年を出版の好機と捉えたように、やはり没後のこうしたメモリアル・イヤーは三島文学にとどまらない〝三島由紀夫〟受容をさまざまに促す力がある。三島事件をリアルタイムに経験しショックを受けた世代が後期高齢者となり、社会的スキャンダルとしての側面から三島論を出せば一定数は売れるといった時代は去って、本質的なところでの評価がはじまったといってよい。またそればかりではない。むしろ最悪のタイミングである国難的状況、否、世界的な苦難の時代においてだからこそ、いまこうした状況下で三島由紀夫や三島文学とは何だったのかを考えることの意味を、改めて突きつけられた一年であったといってよいかもしれない。

＊

以下、記録として没後五十年における出版、上演、上映、イベント等について列記する。放送の再放送、ネット配信のみの番組、記事、作品朗読、個人による電子書籍、また単行本収録の三島論、新聞、雑誌の記事、エッセイ、論文や座談会についてはあまりに煩瑣になるので割愛した。東京を中心としたもので見逃したものも少なくないが、増補版を前掲『三島由紀夫小百科』収録予定。☆はネット配信されたものである。

（大学非常勤講師）

【出版：三島著作】

『夜告げ鳥』（平凡社）

『文章読本新装版』、『谷崎潤一郎・川端康成』、『三島由紀夫 石原慎太郎全対話』、（中公文庫）

東雅夫編『幻想小説とは何か―三島由紀夫怪異小品集』（平凡社ライブラリー）

『手長姫　英霊の声 1938-1966』、新版『仮面の告白』、『愛の渇き』、『禁色』、『真夏の死』、『宴のあと』、『金閣寺』、『潮騒』、『午後の曳航』、『サド侯爵夫人・わが友ヒットラー』、『花ざかりの森・憂国』、『春の雪』（新潮文庫）

『THE DEATH OF A MAN OTOKO NO SHI』（米・リツォーリ社）、『THE DEATH OF A MAN OTOKO NO SHI』（CCCアートラボ）

【出版：三島論】

堀江秀治『思想家としての三島由紀夫』（文芸社、1月）
いいだもも『1970・11・25三島由紀夫』（明月堂書店、1月）
熊野純彦『人と思想　三島由紀夫』（清水書院、2月）
徳岡孝夫、ドナルド・キーン『三島由紀夫を巡る旅—悼友紀行』（新潮文庫、3月）
河出書房新社編集部編『三島由紀夫１９７０（文藝別冊）』（河出書房新社、3月）
図録『三島由紀夫と神島—『潮騒』をめぐる人々』（鳥羽市教育委員会、3月）
源田京一『彷徨える日本史—皇国主義者、スプリンター作家三島由紀夫が『葉隠』で見た武士道』（幻冬舎メディアコンサルティング、5月）
富岡幸一郎『天皇論—江藤淳と三島由紀夫』（文芸春秋、5月）
内海健『金閣を焼かねばならぬ—林養賢と三島由紀夫』（河出書房新社、6月）
長谷川泉他編『三島由紀夫研究』（右文書院、7月）
西法太郎『三島由紀夫事件50年目の証言—警察と自衛隊は何を知っていたか』（新潮社、9月）
別冊宝島編集部編『三島由紀夫事件—検視写真が語る「自決」の真実』（宝島ＳＵＧＯＩ文庫、10月）
宇神幸男『三島由紀夫vs音楽』（現代書館、10月）
中央公論特別編集『彼女たちの三島由紀夫』（中央公論新社、10月）
三島由紀夫研究会編『「憂国忌」の五十年』（啓文社書房、10月）
佐藤秀明『三島由紀夫—悲劇への欲動』（岩波新書、10月）
岡村青『三島由紀夫と森田必勝　楯の会事件　若き行動者の軌跡』（光人社ＮＦ文庫、10月）
井上隆史『暴流の人　三島由紀夫』（平凡社、10月）
浜崎洋介『三島由紀夫—なぜ死んでみせねばならなかったのか』（ＮＨＫ出版、10月）
松浦芳子『自決より五十年　三島由紀夫と「楯の会」「後をたのむ」と託された思い』（高木書房、11月）
適菜収『日本人は豚になる—三島由紀夫の予言』（ベストセラーズ、11月）
高橋呑脩監修『素顔の三島由紀夫の世界』（現代健康研究所、11月）
犬塚潔『三島由紀夫と死んだ男—森田必勝の生涯』（秀明大学出版会、11月）
本多清『三島由紀夫「最後の１４００日」』（毎日ワンズ、11月）
櫻井秀勲『三島由紀夫は何を遺したか』（きずな出版、11月）
安岡真『三島事件その心的基層』（石風社、11月）
富岡幸一郎『入門三島由紀夫—文武両道の哲学』（ビジネス社、11月）
三田益可『三島由紀夫　その愛と献身という徒爾』（鳥影社、11月）
秋津道翁『三島由紀夫の世界—戀と死—附病跡學的考察』（Ｓ

ＥＣ出版、11月）
西尾幹二『三島由紀夫の死と私　増補新訂版』（戎光祥出版、11月）
椎根和『ＶＲ的完全版　平凡パンチの三島由紀夫』（茉莉花社、12月）
藤田三男『三島由紀夫点綴』（随想を書く会叢書、12月）
日比野啓『三島の子どもたち―三島由紀夫の「革命」と日本の戦後演劇』（白水社、12月）

【出版：特集雑誌】

『三島由紀夫研究―「豊饒の海」の時代』（20号、5月）
『季刊文科』（81号、7月）特集・没後50年の三島由紀夫
『すばる』（10月号）特集・没後50年三島由紀夫
『町田の文学』（47号、11月）三島由紀夫未発表資料初公開
『てんとう虫』（11月号）特集・三島由紀夫、かく生けり。
『スカパー！と暮らす』（11月号）特集・三島由紀夫という男
『ＭＭ日乗』（復刊3号、11月）「五十年祭を迎へて」
『THE NEWS』（号外、11月）「楯の会」一期生による座談会
『正論』（11月号）特集・三島由紀夫没後50年
『文学界』（12月号）没後50年特集「生きている三島由紀夫」
『新潮』（12月号）特集・三島由紀夫没後五十年
『芸術新潮』（12月号）特集・没後50年21世紀のための三島由紀夫入門
『波』（12月号）特集・没後50年三島由紀夫
『yom yom』（12月号）特別企画・没後50年三島由紀夫の残照＊
電子書籍

【上　演】

壽初春大歌舞伎「鰯売恋曳網」（歌舞伎座、夜の部1月2～26日）＊Ｅテレで生中継放映
＊birdname creative company「THE GOLDEN TEMPLE」（ＹＣＣヨコハマ創造都市センター、2月9日）
ＵＲＡＲＡ「わが友ヒットラー」（ストライプハウスギャラリー、2月28日～3月1日）
川井郁子　タンゴとシャンソンで語る音楽劇　三島由紀夫没後50周年　奏劇「純白の夜」＆コンサート（品川プリンスホテルクラブエックス、3月15日中止）
花組芝居　三島由紀夫没後五十年「地獄変」（あうるすぽっと、7月3～12日上演延期→翌1月7～17日キンケロシアター）
仙台まちなかシアター「女方」（まるたけ、7月19日）＊朗読
Ｓ企画 small 公演「班女」（吉祥寺 gallery shell102、8月22～23日）
劇団新人会第36回公演「弱法師」（上野ストアハウス、9月9～13日）＊岸田国士「動員挿話」と併演
三条会「サド侯爵夫人」（ザ・スズナリ、9月25～27日）
MISHIMA2020「橋づくし」「憂国」（死なない「憂国」）（日生劇場、9月21～22日）☆
MISHIMA2020「真夏の死」（「summer remind」）、「班女」（日生劇場、9月26～27日）☆
鳥の劇場＋オーケストラアンサンブル金沢「葵上」（石川県立音楽堂、10月2～3日）
waquiraz Trial #1三島由紀夫近代能楽集「班女」（ＡＰＯＣシアター、10月16日）☆

サラダボール「サド侯爵夫人」（四国学院大学ノトススタジオ、10月23～25日）

東京バレエ団三島由紀夫没後50周年記念公演「M」（東京文化会館、10月24～25日、神奈川県民ホール、11月21日）☆

市民劇団美洲座「Aphrodite 三島由紀夫物語」（福岡市中央市民センター、11月1日）

風蝕異人街「わが友ヒットラー」（生活支援型文化施設コンカリーニョ、11月14～15日）

Croix Project 三島由紀夫作品上演企画2020「―憂国二・二六―」（APOCシアター、11月18～25日）

劇団ヒトメボレかんぱにー「班女」（レンタルスペースカフェ＋兎亭、12月4～6日）

ウィーン国立歌劇場「裏切られた海（午後の曳航）」（ウィーン国立歌劇場、12月14日無観客公演）☆

【映画・放送】

映画「三島由紀夫vs東大全共闘―50年目の真実」（映画「三島由紀夫vs東大全共闘」製作委員会／配給GAGA、3月20日封切）

DVD『三島由紀夫×川端康成　運命の物語』（NHKエンタープライズ、10月）

衛星劇場「没後50年特別企画　三島由紀夫特集」（CS衛星劇場、11月）

カルチャーラジオNHKラジオアーカイブス「声でつづる昭和人物史―三島由紀夫」（NHKラジオ第2、11月2～30日）

クラシックの迷宮「三島由紀夫没後50年」（NHK-FM、11月14日、28日）

特集「生誕95年・没後50年三島由紀夫文学と映画」（新文芸座、11月17～25日）

NHKスペシャル「三島由紀夫50年目の〝青年論〟」（NHK、11月21日）

ETV特集「転生する三島由紀夫」（Eテレ、11月28日）

【展覧会・イベント・関連展示・講座等】

パリ三島由紀夫国際学術会議「50 Years Later, Another MISHIMA?」（パリ＝ディドロ大学、19年11月21～23日）

三島由紀夫展「肉体」という second language（町田市民文学館ことばらんど、1月18日～3月1日）

「三島由紀夫の歌舞伎」展（隠し文字館 花ざかりの森、2月29日～3月22日）

講座「三島由紀夫を語る―文学・美学・そして死（渥美饒児）」（静岡新聞カルチャーセンターSBS学苑遠鉄校、3月28日～翌年3月28日）

テーマ展示「編集者・野田宇太郎と作家・三島由紀夫」（野田宇太郎文学資料館、4月予定、中止）

「森村泰昌：エゴオブスクラ東京2020―さまよえるニッポンの私」（原美術館、1月25日～4月12日、6月9日～7月12日）

＊三島題材作品展示

講座「近代日本の肖像三島由紀夫（井上隆史）」（朝日カルチャーセンター新宿教室、2月22日）

第15回〈中村真一郎の会〉特集・三島由紀夫（明治大学駿河台校舎、4月25日延期）

ジョン・ネイスン特別講演（東京大学文学部現代文芸論、5月19日中止）

没後50年・三島由紀夫へのオマージュ展「石塚公昭「椿説男の死」」（ふげん社、5月7～24日）＊三島題材作品展示

連続講座「没後50年三島由紀夫・短篇作品の魅力に迫る（山中剛史）」（東大島文化センター、6月19日～9月4日）

没後50年記念特集展「三島由紀夫の1970—時代との疾走‘68～‘70—」（三島由紀夫文学館、8月5日～翌年8月8日）

講座「戦後社会のなかの「金閣寺」（先崎彰容）」（朝日カルチャーセンター新宿教室、9月23日）

講座「三島由紀夫「近代能楽集」の世界（井上隆史）」（朝日カルチャーセンター新宿教室、9月26日）

共同展示「没後50年三島由紀夫」（国際文化会館図書室、日仏会館図書室、ドイツ日本研究所図書室、10月1日～11月30日）

資料で読む東京3「三島由紀夫『鏡子の家』の東京、そしてニューヨーク（井上隆史）」（日本近代文学館、10月17日延期）

三島由紀夫没後50年記念フォーラム・宮本亜門特別講演「三島由紀夫という、演劇的人生」（山中湖情報創造館、10月24日）☆

みほしるべ企画展「三島由紀夫と「天人五衰」展」（静岡市三保松原文化創造センターみほしるべ、10月10日～11月29日）☆

「三島由紀夫没後50年浜松の小説家渥美饒児のコレクション展」（浜松文芸館、11月1日～2月14日）

文学サロンミニ展示「三島由紀夫未発表資料初公開」（町田市民文学館ことばらんど、11月3日～12月27日）

三島由紀夫・森田必勝氏没後50年「「楯の会」一期生有志が語る会」（中野サンプラザ、11月4日）

対談「東大全共闘と三島由紀夫を考える（内田樹、小森陽一）」（朝日カルチャーセンター新宿教室、11月10日）

三島由紀夫展「MISHIMA MONOGATARI UN SAMURAI DELLE ARTI」（トリノ国立大学図書館、11～12月中止）

講座「没後50年・三島由紀夫の文学＋α（木谷真紀子）」（毎日文化センター、11月20日、12月4日）

講座「「豊饒の海」と三島由紀夫の死（井上隆史）」（朝日カルチャーセンター新宿教室、11月21日）

講座「三島由紀夫と切腹の思想（片山杜秀）」（朝日カルチャーセンター新宿教室、11月21日）

企画展示「ドナルド・キーンと三島由紀夫」（東京都北区立中央図書館、11月17日～12月28日）

野分祭（森田家墓前、11月24日）

三島由紀夫大人命・森田必勝大人命50年祭（鶴見神社、11月25日）

第50回憂国忌（星陵会館大ホール、11月25日）☆

三島由紀夫没後50年記念講演会「三島由紀夫の愛した下田（横山郁代）」（下田市民文化会館、11月25日）

ミニコレクション展「菊池寛記念館資料で知る没後50年三島由紀夫」（菊池寛記念館、11月30日～12月27日）

書評

西　法太郎 著『三島由紀夫事件50年目の証言――警察と自衛隊は何を知っていたか』

久保田裕子

　本書は「三島事件」について、同時代の関係者の証言と詳細な取材を通して、解明されなかったさまざまな謎に迫っている。「第一章「楯の会」に籠められたもの」、「第二章「市ヶ谷」に果てたもの」、「第三章「三島事件」に秘められたもの」という三章構成となっており、その他に［参考資料一］「自衛隊市ヶ谷駐屯地バルコニーからの演説」、［参考資料二］「「三島事件」判決主文と理由（全文）」という各章の考察を支える資料が収録されている。また本書の巻頭には徳岡孝夫の「「三島事件」に立ち会った私」という前書きが寄せられている。

　本書では、三島という言葉と行動の領域において膨大な活動歴を持つ人物について、「三島事件」という出来事に焦点を当てることによって、活動の総体を浮かび上がらせようとしている。そのための方法として、東京地検でねばり強く手続きをすすめて「三島事件」の裁判記録を閲覧し、事件で行動を共にした「楯の会」の隊員三名の調書や陳述書、上申書による証言を掘り起こした。裁判記録や膨大な証言資料を探索し、当時警視庁人事課長であり、機動隊をつかさどる警備課長を務めた経験もある佐々淳行氏や、元自衛隊幹部で東部方面隊部長、統幕室幕僚などを歴任した平城弘通氏らの関係者へのインタビュー取材を行った。同時代の身近な人物でなければ知り得ない証言を集め、複数の声によって語られた三島の姿が、どのように焦点化された像を結ぶかという方法を試み、事件の全体像を再構成している。著者は、前著『死の貌　三島由紀夫の真実』（論創社、二〇一七・一一）の方法と成果を継承しているが、本書では創作を行う芸術家としての側面より、「「三島事件」の全貌」を浮き彫りにすることを目的として、前著の内容を再構成し、増補した内容となっている。本書のサブタイトルに「警察と自衛隊は何を知っていたか」とある通り、当時の警察、自衛隊関係者への取材による証言をもとに、事件当日に起こった出来事の全貌を浮かび上がらせようとする試みである。

　作家自身の行動や発言についての事実関係の検証という方法は、三島研究において重要な一領域であり続けた。事件当時、三島の周辺にいた当事者の回想に基づく証言は、時間が経過した後の言葉では変容していくと考えられるが、本書では「50年目の証言」がもたらす過去の想起というバイアスも含んだ上で、慎重に事件の全貌を浮かび上がらせる。鬼籍に入った証言者もおられ、時間の経過が可能にした事件の当事者の証言は、作家論の在り方への一つの回答であると共に、没後五〇年の時間の経過が生み出した書であると言える。

　三島の死についての問いは、現在も止むことはなく、死の意味の解明については関係者や読者の数だけあるとも言える。

その難問に正面から対峙するために本書が採用した方法は、「事件」をめぐる事実の再構築である。「真実」を明らかにするために、著者は裁判記録を脚で調べ、さまざまな証言者の声を聞き取り、その息づかいを伝えている。個人の死の真相を他者が確定することは難しい。作家と描かれた作品とは同一視されがちであるが、三島の場合は特に、作品の結末と人生の終わりを一致させるような振る舞いと、過剰に意味を賦与された衝撃的な死が、死を起点として作品を論じるような受容状況を作ってきた。本書の方法は、作家の死の謎を解き明かすという目的のために、死という最大の謎を中心に置き、そこから作家の人生を俯瞰して見ようとする。

　著者は「三島事件」をめぐる調査と検証の手続きを踏んだ上で、「事件」の深層にあったさまざまな政治的思惑を含めて見通し、三島が試みた構想の全貌を明らかにすべく、その先の見取図を大胆に描いてみせる。そして当時の自衛隊と警察のトップであった、中曾根康弘防衛庁長官・後藤田正晴警察庁長官・秦野章警視総監は三島由紀夫と楯の会の計画を察知しており、事件計画について事前に知りうる立場にあったという可能性を指摘し、さらにその背景に、警察と自衛隊の組織的な対立の可能性について大胆な仮説を立てている。このような可能性について検証する上で問題になるのは、同時代の文脈における政治的理由の内実であろう。政治的な立場にある権力者たちが結託して事件の真相についての隠蔽を図ったという事実の検証や、あるいは組織間の権力闘争が事件の背景にあったという真実を明らかにする上で、それらの陰謀を下支えする同時代における政治的状況とはどのようなものであったかという新たな課題を導き出す。特に中曾根康弘と三島の間に「暗闘」と呼ぶ緊張関係があったという評価は、両者の間に自衛隊の問題を通して直接的な親交があったことを考え合わせると興味深い。

　本書が提起した「事件」としての行動や発言の記録の成果は、三島の評伝的問題だけではなく、新たな知見と課題を残した。例えば一九六〇年代後半に三島が提示した「文化概念としての天皇」と「政治概念としての天皇」（「文化防衛論」）をめぐる議論について、「三島事件」の収束点としては政治的に処理されたと考えられるが、次のような問いが生じてくる。「三島事件」という行動を通して、「文化概念としての天皇」をめぐる議論について、どのような活路を見出そうとして計画されたのか。あるいは著者が主張するように、三島が「死に至らない結末の蓋然性を想定」していたとする場合、「政治的概念としての天皇」に向けた行動は頓挫したとしても、その後、どのように「文化概念としての天皇」に接合される見通しがあったと考えられるのか。新たな問いを読者に突きつけながら、本論で跡付けされた三島の行動は、描かれた言葉の問題へと環流していく。「事件」という行動の側からの検証を行った本書の問題提起に対して、一九六〇年代の三島の小説や評論における言葉を再検証していくことが、読者に手渡された次の課題である。三島という行動と言葉が分かちがたく結びついた表現主体の問題を再認識させ、読者に新たな問題を提起する書である。

（二〇二〇年九月、新潮社、三〇一頁
本体一、八〇〇円＋税）

書評

宇神幸男 著『三島由紀夫 vs 音楽』

中元さおり

　本書は、これまで三島由紀夫と音楽との関係についての考察を重ねてきた著者が、豊富な音楽の知見をもとに、さまざまな音楽を通じて垣間見られる新たな三島由紀夫像に迫る論稿である。三島がリヒャルト・ワーグナーに傾倒した「ワグネリアン」であることは知られているところである。特にワーグナーの「トリスタンとイゾルデ」は、映画「憂国」の全編にわたって使われ、強い思い入れがあった。本書では三島がどの程度ワーグナーを愛聴していたのかを改めて検証し、さらに、ワーグナーに限らず、三島の音楽体験がどのようなものであったかを詳らかにすることが目的とされている。さらに、三島作品に登場する音楽についても考察し、「三島由紀夫と三島文学にとって音楽とは何であったのか」という問いに向き合ったものである。

　構成は、全六章からなる。まず、「第一章　初恋とピアノと」では、戦中、戦後の三島の若き日々における音楽体験が、伝記的記述をもとに著者によって丹念に掘り起こされる。著者によると、三島は歌舞伎や文楽ほどには西洋のクラシック音楽への関心は高くはなかったようである。しかし、若き日の三島にとっての音楽は、三谷邦子との初恋の思い出と重なるところも大きかったようであり、「仮面の告白」の園子によるピアノ演奏の場面に結実している。昭和二十年五月十九日付の三谷信宛の「土曜通信」で三島は「音楽会へ行つた時の、音楽に反発されてそれと戦ふやうな煩はしい気持はいたしません」と語るが、著者は「クラシック音楽（の一部）は、終生、三島の耳にすらすらと入ってくることはなく、抵抗をいだかせるものであった」と指摘する。ただし、クラシック音楽と無縁だったわけではなく、三谷や徳川義恭などの学習院同窓生を窓口としてクラシック音楽やバレエを鑑賞していたことも明らかにされる。著者は三島の伝記的事実を丹念に拾いながら三島の音楽体験をまとめているが、そこから見えてくるのは、戦中戦後という時代でありながらも、三島がクラシック音楽のリサイタルに頻繁に出向いている姿である。若き三島は周りの友人や知人との交流をもとに、当時にしては充分に音楽文化を享受していたように感じられる。

　「第二章　愛しきはオペラ」では、三島が西洋音楽のなかでも特に好んだのがオペラであったことが論じられる。三島のオペラ体験は昭和二十一年四月の藤原歌劇団「カルメン」に始まるが、昭和二十六年十二月からの世界一周の旅の行程でニューヨークやパリ、ロンドン、ローマでもオペラを存分に堪能している。三島がパリで観劇したシュトゥットガルト歌劇場によるワーグナーの楽劇「トリスタンとイゾルデ」は、著者によると「当時、世界最高水準」のものであったようだ。眷恋のオペラとの邂逅は三島にとって幸運なものだったのかもしれない。

「小説家の休暇」で三島は、「音楽といふものは人間精神の暗黒な深淵のふち」を感じさせるものであり、「音といふ無形態なものに対する異様な恐怖心」があると告白し、その不安の原因として「音がどうしても見えて来ないのだ」と語る。著者もまた、「事実、三島は聴く人ではなく見る人であった」と語り、意味内容があり目で楽しむクラシック音楽としてオペラとバレエを三島が特に好んだと考察し、さらに、三島の音への嫌悪と警戒心は、祖母と暮した幼年期に遡るものではないかと推察している。また、「真夏の死」「恋の都」「沈める瀧」「幸福号出帆」などで描かれる音楽描写とその執筆時期を照らし合わせながら、著者の丹念な調査と広範な音楽知識をもとに、三島が触れたと思われる音楽を推定している。

「第三章　ワグネリアン伝説」では、「三島はどの程度のワグネリアンだったのだろうか?」という著者の問いを明らかにしていく。映画「悪徳の栄え」の音楽を「ワグナー風」ととらえている三島に対して、著者はこの映画の音楽はワーグナーではないことを確認したうえで、「ちょっとした好楽家ならすぐにわかるはず」であり、三島はワーグナーの名曲集のレコードすら「まともに聴いていなかったのだろうか」と指摘する。さらに、三島の生前に上演された「黒蜥蜴」の舞台音楽に使われたワーグナーも「寄せ集め」「切り貼り」であり、矢代秋雄が音楽を担当したものの、三島のワグネリアンぶりに著者は強く疑問を呈する。三島が『ニーチェ・コントラ・ワーグナー（ニーチェ対ワーグナー）』を愛読していたことなどから、著者は「レコードでワーグナーを聴くより、活字でワーグナーに親炙していたことが窺われる」と論じる。著者のような音楽愛好家からみると、三島のワーグナー理解は、音楽的なアプローチとは異なる、特異なものであることがわかる。

「第四章　映画「憂国」、音楽の謎」では、映画「憂国」の音源を探りあてていく著者の考察の過程が、謎解きのようにスリリングに展開していく。著者が音源を特定していく過程は、大変興味深い。映画「憂国」に使われたレコードが、日本文化研究者で三島とも親交のあったドナルド・リチー所蔵のものであったことを、リチー自身が証言している文献が紹介される。なお、本章での考察については、著者とともに、井上隆史氏と山中剛史氏の調査の結果も大きく寄与していることを付記したい。

「第五章　絹と軍艦」では、昭和四十年代に入ってからの三島と音楽との関わりが整理される。この頃の三島は次第に〈行動〉へ軸足を移していくが、音楽との関係にもそれが反映していく。昭和四十二年には日本で「バイロイト・ワーグナー・フェスティバル」が公演され大好評となったが、著者によると、ワグネリアンを自称する三島が聴きに行った形跡はない。この時期三島は自衛隊に体験入隊しており、著者が指摘するように「三島の関心はワーグナーではなく、自衛隊にあった」ことがわかる。また、昭和四十三年三月に日本テレビ系列で放送された「だんいくまポップス・コンサート」にゲスト出演した際に、読売日本交響楽団をしたがえ「軍艦行進曲」を指揮したエピソードは評者にとって印象深かった。テレビ番組で「軍艦行進曲」を指揮してみせるというパフォーマンスは、当時の三島の作家イメージを補強するものでもあっただろう。

「第六章　死と音楽と」では、主に『豊饒の海』四部作における音楽について考察される。特に「春の雪」「奔馬」に登場する舶来品のレコードや蓄音機に注目し、作品内の時代における音楽をめぐる状況と重ね合わせ読み解いていく。さらに、三島文学と音楽との関係について「三島が好んだオペラは絶対音楽とは対極にあり、三島が嫌った「意味内容のないことの不安に耐えられない」音楽が絶対音楽である。しかし三島の小説は、絶対音楽の持つ造形美・構築美に富んでいた」と締めくくる。

三島が純粋に音楽を聴くことを避け、オペラを好んだことは、著者が指摘するように「見ることにこだわった」三島を物語るものでもあるが、舞台芸術としての歌舞伎との共通点もまた、三島がオペラを好んだ理由だろう。舞台芸術として、オペラと歌舞伎を三島がどのように捉えていたのかという視点からの著者の新たな考察を期待したい。また、本書で触れているように、「鏡子の家」を執筆していた頃の三島にとって、音楽は執筆活動の活力や発想の源泉にもなった。三島が音楽から何を受け取り、執筆の動力として生かしていったのかという点は今後の課題として残る。本書によって明らかとなった三島とクラシック音楽との関わりは、今後の三島研究の新たな議論を開くものとなるだろう。

（二〇二〇年十月、現代書館、二五二頁
本体一、八〇〇円＋税）

書評

浜崎洋介著『三島由紀夫』——なぜ、死んでみせねばならなかったのか——

福田涼

『福田恆存 思想の〈かたち〉』（新曜社、以下、副題は省略）以来、一貫して《政治と文学》を主題に掲げてきた浜崎氏が本書で採用したのは、三島の《自己批評＝自己告白の試み》としての『太陽と鉄』の論理に《内在》し、また「詩を書く少年」、「海と夕焼」、「憂国」を中心とする諸作を読み解くことで、三島における《政治と文学の関係》と《思想形成の必然》を浮き彫りにする、という方法である。

序章では、「精神」＝「言葉」によって《所有しようとすればするほど》、なお《己の「外」へと逃れ出ていってしまう何か》＝「肉体」という、三島の《思考の原型》が提示される。以後の各章では、右の「二元論的思考」が辿る帰趨＝《生（精神）―反（肉体）―合（死）の弁証法》が、順を追って解き明かされてゆく。

第Ⅰ章は、幼年期から敗戦前後に至るまで＝《ロマン主義時代》を扱う。「世のつねの人」とは異なり、三島には「まず言葉が訪れて、ずっとあとから」、「すでに観念的な姿をしていたところの肉体が訪れた」。「詩を書く少年」に描かれた如く、三島は己の性質を「逆用」し「言葉の純粋な城」を築く一方、「肉体」という《言葉ならざる領域》を、まさに《言葉の外》に確保した。《言葉ではないもの》としての「肉体」という発想＝「言葉」が矛盾を含むことは見やすいが、その矛盾によってのみ三島は、《言葉をもつ精神と言葉を持たない肉体とのドラマ》を描く「言葉」を獲得し得たという。

第Ⅱ章では、「椿事」の夢が潰えた敗戦直後から『金閣寺』に至るまで＝《古典主義時代》が論じられる。「夜の思考」からの脱却を図る三島は、『仮面の告白』で、己の気質を《徹底的に対象化》し、それを「仮面」として造型した。こうした「仮面」＝「言葉」の客観的な裏付けを模索するなかで見出されたのが、《目の前の「肉体」を照らし出す「太陽」》と、「感受性」を斥けるギリシア的「古典主義」の理念であった。ただし、《ロマン主義に対する断念》を《「resignation」（忍苦・諦念）》のなかで受容する「海と夕焼」の安里のように、三島の「古典主義」とは、《己の「内面」に巣くうニヒリズムを抑え込み、それを隠す》「仮面」であった。この「古典主義」と「ニヒリズム」の循環に耐え得なくなったとき、三島の《第三期》が始まるという。

第Ⅲ章では、三島が「ロマン主義」と「行動」への傾斜を示し出す《右翼時代》が対象となる。「鉄」により鍛え上げられた「肉体」が《抽象的な虚構》でないことを裏付けるには、《不自由な実在＝敵》と《その敵を透かして垣間見られた「死」》とが必要とされ、また「永遠に想像力に属する唯一のもの」たる「死」を客観的な「栄光ある死」たらしめる上では、「内部からの呼び声」に呼応する「外部からの呼び声」が要請される。「憂国」は、この「二種の呼び声」が「みごとに照応」した境地＝「至福」を描いた小説として定位される。また「憂国」を含む「二・二六事件三部作」の背景には、《戦後日本の「繁栄」に対する疑念》があったというが、そうした疑念は、同時に戦後における三島の歩み、つまりは〈筋肉＝文体〉を鍛錬すること自体にも跳ね返って来るものであった。こうしたなかで見出されたのが、「暗い激情の炎に充ちたもう一つの太陽」としての「天皇」に他ならない。以上を踏まえて後半部では、《文学者三島由紀夫において真に問わなければならない》事柄として、「存在」や「集団」、「陶酔」から疎外されてきた《孤独》な三島が、《集団の悲劇》＝《「われら」に向けての「死」》を希求するに至る《宿命》が提示される。

終章では、三島の《宿命》が照らし出す《私たち近代人》と戦後日本の様相が記述される。《まず「言葉」があり、その後から「肉体」を発見してしまった》三島は、「「自然」な直感や予見」を信じるという「安全弁」（「林房雄論」）を持たず、自らが信じようと欲する「思想」を《熱烈に演技すること》、ひいてはそれに《自ら殉じてみせること》でしか、その「思想」を支えることができなかった。このように《「言葉」は「言葉」だけで「言葉」を満たすことができない》ことに《焦り、悶え、努力》した三島の運命は、逆説的に《「言葉」だけによっては支えられていない私たち人間の実存》を浮き彫りにする。他方、新左翼運動が《自滅》した一九七〇年代以後、日本における思想の「言葉」は、次第に「現実」との交点を見失い、《私たち》に深い《非現実感》を齎した。こうした状況を脱け出し、《孤独》を乗り越えるための《道》として、《「言えば言えてしまう」ことに開き直った言葉のニヒリズム》を拒む三島の姿勢が再提示される。

以上、拙い要約となったが、本書では、三島自身が「もっとも難解」と評した『太陽と鉄』の理路が、明解な文章で辿られている。また本格的に論じられることの少なかった「煙草」が、「椿事」という文脈から読み返されている点などにも新鮮さを感じた。一方、論述の方法に関しては、少しく疑問も残る。『太陽と鉄』にしても、新潮文庫版『花ざかりの森・憂国』の「解説」にしても、それは《三島由紀夫による三島由紀夫》の再解釈に他ならない。三島自身が「そんなことは遠の昔に自覚している」（浜崎洋介「三島由紀夫と福田恆存の「自然」」、『三島由紀夫研究』十三号）としても、この点は更に強調されても良かったのではないか。三島が《自らの美学に「政治」を強引に巻き込んでいった》過程を跡付ける上でも、重要な論点となろう。また限られた紙数で《大作を一つ一つ丁寧に取り扱っていくことは難しい》としても、『天人五衰』の掉尾と三島の《宿命》との繋がりについては言及が欲しいと思われた。月修寺の「何もない」庭は、「果たし得ていない約束」が語る「空虚」と、どのように関わるのか。

如上のないものねだりが、今後の批評・研究に課せられた《宿題》として意識されたことも確かであるが、いずれにしても本書は、三島の「政治」と「文学」、また「人生」（『反戦後論』文藝春秋）をも見据えた総体的な論として、貴重な達成を示している。

（二〇二〇年一〇月、NHK出版、二三九頁
本体一、一〇〇円＋税）

書評

安岡　真著『三島事件　その心的基層』

藤田　佑

耳目を集めた「事件」の小説化は、周知のように、三島由紀夫がしばしば採用した方法であった。無論、「事件」の小説化それ自体には、多くの作家が携わったが、三島作品の一つの特質は、肝心の「事件」の顛末が、意外な程に省筆されている点にあるだろう。「光クラブ事件」に取材した『青の時代』では、最も世間を騒がせた学生社長の検挙と自殺以前に物語が完結しているし、『金閣寺』の大部分を占めるのは、放火よりもむしろ決行までのプロセスである。

「事件」そのものよりも、それに至るプロセスの小説化が三島の〝新聞ダネ小説〟のドラマツルギーであるとすれば、本書『三島事件　その心的基層』の「事件」の描き方は、三島と発想と同じくしている。「三島事件」を書名に冠する本書は、プロローグのように十一月二十五日のあらましに触れるに過ぎないからである。こうした手法を裏打ちするのが、「三島を書く者としての私は、いくつかの事実をもって、三島由紀夫をあの「事件」に走らせたものは、ぬぐい去りがたい青年期の恥辱であったと考えている」との著者の確信である。すなわち本書の主眼は、三島の「心的基層」＝終生彼に纏わりついた「ぬぐい去りがたい青年期の恥辱」を明らかにし、「事件」との連関を考察することで、ともすれば「思想的行動」とされる「事件」を、心的な帰結として記述するところにある。

右にも関連して、本書で特徴的なのは、その構成意識である。個々の章立てとは別に、本書は大別して、次の三つの層から成り立っている。第一は注釈のパート。特に、後述の「青二才の軍医」の特定や、聖セバスチャン殉教図の分析のため、筆者は膨大な資料群を博覧し、論証を進めていく。第二は、三島由紀夫その人を記述するパート。「夜から引き摺り出されるかのような気分で寝台から抜け出した。（中略）時計は午前八時を指している。制服はすぐそこに畳んであった」というように、ここでは三島が、あたかも小説の一登場人物のように描写される。第三は、「三島を書くものとしての私」という自称詞を伴って登場する、著者その人をめぐる挿話。「三島という人間の、どこかつかみ所の無い、しかし触れるとハッとするような不可思議な実存と、そしてその余りに永すぎる不在」に惹き付けられ、著者が「三島事件」にのめり込む経緯が断片的に配置されている。これら三つの層が立体的に交錯することで本書は、実録とも、評伝とも異なるアプローチで、「事件」を記述している。

序章では、『仮面の告白』や平岡梓『倅・三島由紀夫』で有名な「即日帰郷」のエピソードが分析される。入隊検査の折、「青二才の軍医」に肺湿潤と「誤診」され、兵役を免れたという話は有名である。三島は後年、自身が入隊するはずだった百九十九聯隊が、その後フィリピンで多くの戦死者を出したと述べる。本書によれば、軍隊からの拒絶こそが、「ぬぐい去りがたい青年期の恥辱」＝コンプレックスとして、三島の原体験を形成したという。ただし「青二才の軍医」を入念な資料調査から特定した筆者によれば、三島のこの言は、「妄想、虚偽に他ならない」。すなわち「青二才の軍医」の「誤診」は、三島に向けられた「手ごころ」であり、他ならぬ三島も、そのことを理解していた。この結果「自意識が罅割れて」、後年の「益荒男振り」、ひいては「事件」の遠因となったというのが、本書を貫く前提である。

第二章・第三章では、三島の旅行記『アポロの杯』が扱われている。従来『アポロの杯』は、三島のギリシア体験に比重が置かれてきたが、本書はアメリカの風物を記述する際の妙な冷淡さに注目し、「旧日本軍への入隊検査を拒絶された三島には、戦勝国アメリカを前にして意識するとも無く首をもたげてきた自然な気負い」があったと説く。また、三島の聖セバスチャン殉教図への偏愛から、同性愛的な欲望をではなく、「見られたい」という願望を抽出し、「事件」が孕む劇場性との接点を見出す。なお、筆者は『アポロの杯』という標題を「太陽に乾杯」の意に解釈し、「死」に「再生」を齎す太陽への賞賛と発見として、三島の世界旅行を意味付けた。

第四章は、三島を拒絶した旧陸軍の暗喩として、「金閣」を位置付けている。

最終章では、『豊饒の海』から、特に『奔馬』の分析がなされるが、興味深いのは、刻一刻と「決行」に進む三島の姿が、分析の合間に挿入される点である（「市ケ谷の東部方面総監部玄関前にコロナがすべり込んだ。午前十時五十八分」等）。こうしたモンタージュのような描写が、論にスリリングな展開を与えている。

このように本書は、百九十九聯隊に拒絶されたという原体験を三島のコンプレックスの基層に置き、それらが局面に応じて変転するプロセスを記述することで、「事件」の核心と三島の「心的基層」を穿つことを企図している。従来、三島にまつわる論考の多くは、「最期」から彼の生涯を、はたまた文学の主題をも逆算するタイプのものが多かった。徹底的に始発にこだわる本書の態度は、そうした風潮への異議申し立てとして、重要な意味を持つだろう。

ただし、百九十九聯隊に拒絶されたというコンプレックスや「即日帰郷」の挿話が逆に特権化され、ともすれば小説の読みを予め既定してしまっている点、言及される作品が少ない点、広範に亘る三島の作品群を、どれだけ「恥辱」との連関から問うことが可能かという点には、疑問を感じた。無論、本書の眼目は、あくまで「事件」と「青年期の恥辱」の相互関係を問うところにあったわけだが、三島由紀夫にとって文学に携わることとはどういうことだったのか、筆者の問題意識との関連が気になった。

述べたように、本書の新奇性は、三つの層が輻輳する意識的な構成法によって、評伝とも実録とも異なる形で「事件」を再現した点にあるだろう。「物は何度でもよみがへり、何度でも再現する」とは、本書にも引用された、『金閣寺』創作ノートからの一節だが、没後五〇年を過ぎた現在もなお、「三島由紀夫」が「何度でもよみがへり、何度でも再現する」ことを感じた。

（二〇二〇年一一月、石風社、三三二頁
本体二、五〇〇円＋税）

書評

三島由紀夫研究会 編『「憂国忌」の五十年』

浅野正美

三島由紀夫が自決して五十年、この間毎年欠かすことなく命日の十一月二十五日に追悼集会「憂国忌」を主宰してきた三島由紀夫研究会編による活動記録と追想、そして未来に向けた提言の書である。左翼にあらずんば人に非ずとまでいわれた70年安保世代にあって、その風潮に否を突きつけ敢然と立ち向かった大学生の、熱き行動が胸を打つ。

　事件からわずか十六日後の昭和四十五年十二月十一日には憂国忌の原型である「三島由紀夫氏追悼の夕べ」が緊急開催され、翌昭和四十六年二月二十四日には三島由紀夫研究会が発足した。

　こうした一連の活動を中核で支えたのが、日本学生同盟（日学同）のメンバーだった。

　「それまで民族派学生運動としてあくまでも大学キャンパスの中にとどまっていた私たちは、この『追悼の夕べ』に集まった、それまで知らなかった圧倒的なエネルギーを感じたのであるが、それがやがて学生運動の枠を乗り越えた幅広い国民的な運動を考えるようになった。これが三島由紀夫研究会と憂国忌運動の原点であった。」

　この時の学生たちの熱気と活躍は、思いを同じくする文化人をも巻き込んでいった。本書の巻末には、「追悼の夕べ」における発起人名簿が記載されているが、その多くはすでに亡くなっている。その中でも、憂国忌につねに寄り添い、大きな支えとなったのが、林房雄、黛敏郎、藤島泰輔、村松剛の各氏であった。

　林房雄は「憂国忌趣意書」の中でこう訴えている。「彼は生前、『自分の行動は二、三百年後でなければ理解されないだろう』と書いたが、（中略）まず少数の理解者が彼の精神を想起し拡大する「憂国忌」に集まろう、「二、三百年後」という嘆きを、五十年、十年後にちぢめて、三島由紀夫の魂を微笑せしめるために。」

　また、藤島泰輔は没後十年のときに書かれた「語り継ぐべきもの」という文章で、「私たちの役目は、三島さんの文学と行動の重みを語り部として後輩に語り継いで行くことであろう。憂国忌はそのために存在すると、私は理解している。」と書き残している。

　何人もの文化人が、追悼の夕べから憂国忌へと続く活動に対して、それを実現し継続させるための無償で献身的な協力を惜しまなかった。何事をなすにもまず必要となる資金調達に関しても、自ら浄財を提供し、またいろんな方面へ協力を呼びかけ、あちこち駆け回ったり、名刺に添え書きをしてくれたりもした。一年後に開催された憂国には、川端康成と小林秀雄が発起人に名を連ねることによって、二百数十名の著名人が名を連ねることになった。

　本書では、三島と自衛隊との関わりについて、三人の証言者による記録が収録されている。晩年の三島が自衛隊に深く食い込み、多くの自衛官と寝食を共にし、訓練に勤しんだことはよく知られている。

そうした触れ合いの中で、具体的に隊員たちとどのような会話をし、三島が自衛隊に期待していたことが何であったのか、そして理想と現実の狭間で、期待が絶望へと変わることによって、最終的には決起へと至る心情の変化を読みとることができるのではないか。自らの死に場所として自衛隊を選んだのは、自衛隊よ、名誉ある国軍たれ！というメッセージを残したいという三島の強い思いが込められていたからであろう。本書に登場する三人の元自衛官の中でも、寺尾克己陸相補の体験はまさに歴史の生き証人としての生々しい記述にあふれている。寺尾氏はたびたびメディアにも登場しているが、あの日監禁されていた益田総監を救出すべく総監室に飛び込んで、右腕と背中に四太刀を受けて重傷を負い、生命の危険にさらされた体験を持つ。切られた瞬間の感覚や、病院へ運ばれるまでに起こったアクシデント、三島夫人・瑤子さんがお見舞いに来られた際の裏話といった、本人でなければ語れないエピソードも、従来の三島研究では発掘できなかった歴史の一齣ではないかと思う。退院した寺尾氏が益田総監に退院のあいさつに行った時には、二時間にわたり二人だけの話が続いた。総監からは、「よくぞ沈着、冷静であった。これが真の勇気というものだ」という言葉を頂戴したそうである。

三島の死は、極めて過激な政治的死であったため、わが国では三島由紀夫は長らく禁忌であった。あれから半世紀の時が経ち、諸々の夾雑物から解放された今の若い読者は、純粋に、文学者・三島由紀夫の作品を、その文学的価値のみによって評価するようになり、今も新たな読者を続々と生みだしている。昨年の十一月二十一日に放送されたＮＨＫスペシャル「三島由紀夫　50年目の〝青年論〟」においては、三島に惹かれた現代の若者がその魅力を語る一方で、五十年以上前に当時の若者に向けて発した三島の言葉が蘇るとき、あたかもそれが　今の若者へのメッセージとしてもダイレクトに響くという事実を明らかにした。時空を超えて、双方の間で対話が成り立ったような錯覚を覚えた。

三島の文学と言葉は永遠に残るであろう。では、三島の思想はどうだろうか。命を賭して訴えた憲法改正と、我が国の真の自立。憂国忌の本旨は、三島文学の顕彰よりも、その思想の実現に重きを置いていることは、本書を一読しても理解できる。半世紀にわたって節を曲げることなく、手弁当で、三島・森田の精神を後世に向かって恢弘せよとの思いでつなげてきた。そんな第一世代の多くは、直接三島の謦咳に接し、森田とは青春のひと時を共に過ごしてきた仲間である。そこで受けた記憶と感動は、生涯の財産となり、人生を方向付ける決定的な重みを持っていたであろう。

三島以降に生きる世代に欠けているのはそんな原体験だが、三島の残した言葉から本質を読み解き、それを行動に移してゆくことは大きな試練でもあると思う。本書の末尾がこう結ばれているのは、後に続くを信じる先輩からの励ましと、そして祈りにも似た思いなのではないだろうか。

「これからの五十年を担う方々のために、三島由紀夫の『責務』その結果としての行動を読み解き、次の五十年にはすでに鬼籍に入っている我々に、日本回復を見せてほしいのだ。『頼む！』」

（令和二年十一月、啓文社書房、一六七頁
本体二、〇〇〇円＋税）

書評

犬塚潔著『三島由紀夫と死んだ男——森田必勝の生涯』

山中剛史

まさに待望の本が出た。著者は本誌創刊号からの執筆者であり、古書コレクターという立場から、しかし単にマニアックな本の話というのにはとどまらない、貴重な資料の発掘を継続されてきた人であることは、本誌読者には周知の事柄であろう。また、著者には『三島由紀夫著「豊饒の海」の装幀の秘密』、『三島由紀夫と牧羊社』、『三島由紀夫と武道』、『三島由紀夫と尚史会』、『三島由紀夫と川戸志津夫』、『三島由紀夫と森田必勝』、『三島由紀夫と持丸博』という知る人ぞ知るごく少部数の私家版があり（全て神奈川近代文学館で閲覧可能）、本書は『三島由紀夫と森田必勝』（平28・1、限定23部）を公刊用に増補改訂したものである。

もちろん、森田必勝については、遺稿集『わが思想と行動』をはじめ、評伝もすでにいくつか刊行されている。では、本書の特色は何かというと、正確な最新データに基づき、著者でなければ発掘できなかったような資料をふんだんに盛り込み、森田必勝という人の生涯と三島と共にした日々を一冊の形にまとめあげた点にある。そしてこの特色こそが、本書の他にない唯一性であるといってよい。

唯一性といっても、とりわけ楯の会関連については、当事者たる元楯の会メンバーによる回想的書物が既にあることは確かである。が、貴重な証言である反面それらは、躊躇なくいえば、当事者であるがゆえにその記述にバイアスがかかることは避け得ず、記憶違いなども何ら検証を受けぬままであったことも一方でまた確かなのである。そもそも楯の会といっても、一期生から五期生まで、また尚史会や十二社グループなど隊内の派閥もあり十把一絡げにすることはできない。著者は、長年に渡って元楯の会メンバーたちと人間関係を構築しながら対話を重ね、思い入れを排し、写真に写っている人物を特定し、曖昧な回想には客観的証拠を以て正し、地道に資料の保存、整理を続けてきた。元楯の会メンバーから楯の会隊員よりも楯の会に詳しく、正確だと著者がいわれる所以である。

本書は、さまざまな証言を積み重ねつつ、当時の一次資料、即ち元メンバーたちに残された配付資料、内部文書などを博捜しながら、実証的に楯の会の活動、そして森田必勝という人物を跡づけていく。例えば、森田遺稿集にはI子宛の手紙下書きというものが収録されているが、著者はこのI子本人を突きとめ、許可を得て、下書き以前に送付された森田書簡を本書で全文公開している。また、昭和四十三年五月の「学生文化フォーラム」出席の三島や林房雄の発言について、「テープには」次のような会話も録音されているとその一部が引用されているが、これはそのテープを入手し視聴していなければ書けないものである。時折見える隊員の当時の手帖からの引用等も含めて、あまりに当然のごとく引用されるそれらは、それまで存在すら明らかではなかった資料ばかりである。掲載されている楯の会班編成表、例会案内状、スナップ写真等も珍しいものずくめで興味深いが、そうした資料一つ一つを積み重ねることによって、本書は従来の類書をはるかにしのぐ説得力を持つ。

ところで、森田はなぜ三島と共に死に、三島はなぜ森田と共に死んだのか。それが本書冒頭に掲げられる問いであった。三島はなぜ死んだのか、ではない。本書は、この「と共に」に焦点を合わせながら、それをめぐるスリリングな考察も展開される。

例えば昭和四十三年十月五日の楯の会結成記者会見。著者は、同年のノーベル文学賞発表が同十七日であることを考えれば、発表以前の記者会見は「受賞した場合を考慮し、それとは関係なく楯の会をやっていく意思表示」ではなかったか、とする。これは三島が対外的なことを慮ったというよりは、むしろ楯の会メンバーへの意思表示でもあった側面に注目したい。また『論争ジャーナル』へ田中清玄が資金提供したことで関係メンバーが一斉に退会した後、森田は学生長となるのだが、その際、三島は森田を学生長に直接指名せず、楯の会最大派閥であった尚史会の倉持清と森田と話し合いの上で決めよと命じたという。著者は、三島には倉持が森田を学生長に薦めるであろうことは「想定内だった」とする。先に隊内の派閥に言及したが、三島とメンバーとの関係も一様ではない。ここには、これまでほとんど注目されることのなかった、三島と楯の会メンバーとの関係性が浮き彫りにされている。

では、三島と森田の関係はどうだったのか。著者が注目するのは、森田の日学同退会（退会届は昭和四十四年二月付）である。当時、右派学生は複数の団体に所属するのが一般的で、森田も日学同など四団体に所属していたのだが、ではなぜこのタイミングで森田は退会したのか。著者はそこに、三島との関係を見る。昭和四十四年二月は、それまで全巻書き上げてから一気に刊行するつもりだった『豊饒の海』を、『春の雪』『奔馬』と刊行したタイミングと重なる。全巻完結を待たずに巻ごとに刊行することと、森田の退会は、共に「自決への具体的な準備のひとつ」と著者は推察する。

その上で、森田が「ここまで来て三島が何もしなければ俺が三島をやる」という楯の会メンバーの証言を引きつつも、森田が三島に命令されて自刃したわけでも三島が森田に迫られて自刃したわけでもなく、「森田の自刃を確信したことが三島を自刃に導いた」と結論づける。それというのも、「一人の自刃と二人の自刃では、死の意味も全く異なったものになる」からだ。ただ「文学者の死」に過ぎないものをそれ以上のものにすること。それには、森田の存在は必須であった。著者の筆は控えめではあるが、三島の自決が一人ではなく、二人でなくてはならなかった意味を改めて読者に突きつけてくる。

没後五十年を迎えいまだ三島事件関連の書籍は多数刊行されているが、本書は一次資料に基づきながら新たに三島と森田の関係性に鋭く切り込んで、圧倒的に抜きん出ている。今までに発表された著者による実証的な論考の数々も、これに続いて第二弾、第三弾と刊行されることを評者は熱望してやまない。

（令和二年十一月十日刊、秀明大学出版会
一四五頁、本体二、二〇〇円＋税）

書評

井上隆史 著『暴流《ぼる》の人　三島由紀夫』

有元伸子

井上隆史氏がこれまで蓄積してきた研究成果と新たな知見とを評伝の形でまとめあげられた五〇〇頁を超える大著である。ページをめくるごとに未知の情報が繰り出される本書は、井上氏の現時点での三島由紀夫理解の決定版であり、三島由紀夫没後五〇年に刊行された関連書籍類においても、ひときわ大きな意義を持つものだと評価できよう。

「はじめに」において、井上氏は、従来の代表的な三島評伝と自著との差異を自解する。三島との個人的で親密な交際や高い取材力によって成立した既刊評伝に代わり、本書は、これらの先行する優れた評伝や、これまで知られていなかった未発表資料を参照することができるのが強みだと言うのだ。三島由紀夫研究のメインストリームを歩み続け、多くの資料に触れ、企画を立ち上げてきた井上氏ならではの自負であろう。

本書には、『金閣寺』『鏡子の家』『豊饒の海』論をはじめ定評ある井上氏の作品解読を基盤に、これまで氏が発掘し触れてきた資料の丁寧な確認や、培われた人脈によって得られた生の貴重な情報がふんだんに盛り込まれている。三島のエッセイ「独楽」に描かれた男子高校生から決定版全集編集部宛てに届いた手紙の紹介や、堂本正樹、村松剛、堤清二、芥正彦、高橋睦郎、豊田貞子各氏などから直接聞き取った証言も記される。こうして汲み取った三島固有の事情とともに、同時代の政治的・社会的・文化的状況、思想、言説と密接に関連づけながら、作品の読解にあたっている。

氏は、本書をまとめるにあたって、三つの概念を呈示する。すなわち、虚無、セバスチャン・コンプレックス、全体小説である。本書の全体は三部二〇章からなり、時間軸に沿って三島の生涯と世界文学たる『豊饒の海』に向かう作品を詳述していくが、これら三つの概念を鍵としながら、見る人・接する人ごとに異なる顔を見せる「多面体」としての三島由紀夫の全体像を捉えようとするのである。

とにかく劈頭からページをめくるごとに驚きの連続なのだが、読み進むにつれて、あたかも種々の糸が縒りあわされからみあい織り上げられて、三島由紀夫という一つのタペストリーができあがっていく様を目撃するごとくに、以前の章で呈示されていた人物や出来事、作品の解説が後の章に接続していく。（それだけに、機会があれば索引を付していただければありがたい。通読後にも、何度も参照すべき書であるからだ）。

最も印象的であったのが、ノーベル賞をめぐる問題である。「特に日本においては、戦争の傷跡を癒し、民族としてのプライドとアイデンティティの回復に寄与するものと待望された」と井上氏が概括するごとく、ノーベル賞は候補者個々人の栄誉に留まらない大きな意味をもつ。

三島は、戦後、『文芸文化』グループ

が解体したにもかかわらず、かつてそこに所属していたと見なされていたために戦後文壇での居場所を失った。「新たな後ろ盾となる師」を求めて最初に候補となったのが佐藤春夫であり、さらに、川端康成に乗り換える。もちろん、それは三島が「文学に対する自身の姿勢を真剣に考えたすえ」ではあったものの、そこに「世俗的打算がなかったとは言えない」。これが後年、ノーベル賞をめぐって川端康成の推薦状を三島が書かざるをえなかったことにつながっていく。また、鉢の木会の仲間だった吉田健一との確執についても、吉田の父・吉田茂をノーベル平和賞に推薦しようとしていた動きとも連関することが指摘される。

『禁色』の読解においては、作中の「ジャッキー」が大磯で開いたクリスマスのゲイ・パーティーを彷彿とさせるCIE（GHQの民間情報教育局）の元関係者らによる九十九里滞在を室謙二の著書から引き出して、三島がこれに似たパーティに参加したに違いないことを井上氏は記述する。『禁色』に活写されるゲイ・シーンが実際の経験や取材に基づいていることを示しているかのように思えたその記述は、はるか後続の章でノーベル賞をめぐる問題系へと接続していくのである。

こうして一九六八年一〇月の川端康成のノーベル賞受賞に筆が至る。井上氏は、スウェーデン・アカデミーに提出された四つの文書（執筆者は、ラーデル、キーン、サイデンステッカー、ローンストレム）を持ち出す。氏は現物を確認するために二〇二〇年春にスウェーデンに出張する予定であったが、コロナ禍のために渡航不能になったという。現地の代理閲覧者から送られてきた画像を見ながら、井上氏は「暗澹たる思いを抑えきれずにいる」と述べ、当時の三島は「事態がこれほど残忍な」ものだとは予測していなかっただろうと語る。氏が紹介する文書、ことにサイデンステッカーのものを読むと、読者もまた井上氏と同じ思いを抱かざるをえない。それは、まさに「あえて三島の受賞を阻むよう」に書かれた衝撃的な文書であった。井上氏は、サイデンステッカーがそのような記述した要因をも推測する。三島と川端を天秤にかけたCIAの政治的思惑や文化自由会議との関連とともに、同性愛忌避の問題（サイデンステッカーが初めて来日したときに夏は九十九里で過ごしていた）があったことをも氏は示唆するのである。

このノーベル賞をめぐる一連の記述は、それまで本評伝の各所でおのおのの意味をもって存していた事項が、別のコードのもとにまとまって立ち上がってくるようで、読み進めつつ震撼させられた。

時代と伴走し、寵児となるも、「暴流」のなかに生き闘い抜く三島由紀夫の姿と作品とを、井上氏は確信をもって記述していく。そこから浮かび上がってくるのは、生臭い俗世を器用に渡っていく三島と、それと表裏する三島の不器用さ、誠実さ、正直さである。四五年の生涯を生きてきた三島の姿と時代、関わった人々、その作品群のもつ意味や思想とが、丁寧かつ骨太に描かれていく。まさに現在の三島研究・評伝の決定版である。

【追記】本書により、井上隆史氏は第72回読売文学賞の評論・伝記賞を受賞されました。まことにおめでとうございます。

（二〇二〇年一〇月、平凡社、五四三頁）

本体三、二〇〇円＋税

書評

佐藤秀明 著『三島由紀夫 悲劇への欲動』

梶尾文武

没後五〇年という節目を迎え、三島由紀夫再評価の機運が高まっている。本書は、この作家の評伝を旨とした概説書であり、研究者やファンダムばかりでなく三島作品をこれから読もうとしている新しい読者にも興味ある内容となっている。

三島の作品と人生の展開を辿るにあたって、著者が論述に一貫性を与えるべく導入するのは、「前意識的欲動」という分析概念である。「三島由紀夫の生涯を通じて、心身の根深いところから湧き出た欲動」あるいは「言語化しにくい、言語化以前の欲望であり情念」を、著者は「前意識的欲動」と呼ぶ。序章では、『仮面の告白』に登場する汚穢屋をめぐる記述、とりわけそこにカッコつきで書かれた「悲劇的なもの」「身を挺してゐる」という言葉の表現する感覚としてこの概念が規定され、そうした欲動が各時期の創作活動をいかに突き動かしていったかということが、本書全体を貫く問いとして設定される。

第一章は、一六歳の少年平岡公威が初めて三島由紀夫の名の下で作品「花ざかりの森」を著すまでの動向を辿る。生家の追跡にはじまり、規律訓練への適応を専らとした学習院時代の生活、そうした教育的規範からは逸脱する作文や詩作の試みが紹介され、「花ざかりの森」によって日本浪曼派に合流するまでが記述されている。『文藝文化』が三島のロマン主義的心情を無批判に育ててしまった点において、両者の出会いは必ずしも幸福な出来事ではなかったと著者は見ている。

第二章では、敗戦前後の動向が辿られる。徴兵検査、入営通知、そして即日帰郷にいたるまでの顛末が詳述されている。こうした事実の検証を重ねることで、戦時の三島が生き残りを賭けてプラクティカルにふるまったことを明らかにした著者は、後年の三島論に影響するところ大であった磯田光一のいわゆる「恩寵としての戦争」という見方が、いかに事後的に事態を単純化した美的虚構であったかを批判的に指摘する。

第三章では、『仮面の告白』から『金閣寺』までの動向が検証される。著者によれば、『仮面の告白』に書かれた同性愛という性指向は耽美主義に通ずるが、この作品に耽美主義的な居直りは希薄である。これは、三島のうちに市民社会の一員でありたいという憧れが潜んでいることのあらわれであり、それが作品に緊張感を与える要因となっていると著者は言う。三島が異端の文学者ではなく戦後市民社会のなかの代表的文学者たりえた所以であろう。むろん三島は、市民社会に諾々と適応したわけではない。著者は『禁色』以降、五〇年代の作品の主人公の多くが、結末で「平凡な地点」に至ることを指摘しつつ、それらの作品群に作家が内に抱えた「生き辛さ」の反映を読み取る。さらに本章では、三島が「感受性」を濫費したというギリシア旅行、

『潮騒』と『金閣寺』の執筆、この間の女性との交際が創作に与えた刺激について考察されている。

第四章は『金閣寺』以後、三島の三十代の動向を辿る。『鏡子の家』の青年たちの、平凡な日常を生きようとする選択が欲動の封印と不可分であったと著者は指摘し、続く「憂国」を封印された欲動の「全的な解放」として捉える。さらに、『美しい星』と『午後の曳航』は個の特殊性に根ざす理念の空虚を描いた作品として、一方で『宴のあと』と『絹と明察』は自己の資質からは離れた日本の習俗を描いた作品として定位される。『宴のあと』に関しては、モデルとなった原告と三島が互いの嘘を知りながら裁判では緘黙した事情が、創作ノートの検証を通じて明らかにされる。また、三島演劇の「シアトリカル」な方法の要諦は俳優と役を一体化するではなく「バラしてずらす」ところにあり、文学座における『喜びの琴』の上演拒否問題が、この方法についての無理解に発したという見方が示される。

第五章は、『豊饒の海』の執筆と同時に政治的行動へと傾斜した三島の四十代の動向を追う。著者はここで、「楯の会」の持丸博が後年デマとして退けた磯田光一の説、すなわち三島が「本当は宮中で天皇を殺したい」と発言したという説を、三島の天皇観やその他の証言に照らして支持する。さらに、人間である天皇に神としての天皇を演じることを求めるという三島の天皇論が、シアトリカルであることを重んじた演劇論と通底していることが指摘される。

終章は『豊饒の海』と三島の自決、さらに死後について記述する。著者によれば、このライフワークは、文学的野心の実現と、「英雄」たらんとする夢の実現のためにそれを諦めねばならぬかもしれないという危機のせめぎ合いから創作意欲を得ている。このような仮説の下で、四巻における主人公四者および本多繁邦によって「前意味論的欲動」がいかに変奏されているかが論じられ、作品の完結によって本多に託した自身の欲動が潰え去るさまを見届けたあとの出来事として、最後の一日が捉え返される。

以上が本書のあらましであり、今後検討されるべき論点を豊かに含む。とりわけ、キーコンセプトとなる「前意味論的欲動」については、再考の余地があろう。著者は三島の創作と行動の展開に即してこの欲動の増減を読み取り、その生涯をいわば褶曲する欲動放出量のグラフのもとに捉える。だが検証されるべきは、欲動よりもむしろその表象のほうではないか。三島の創作において漸次変化しているのは、欲動そのものの放出の多寡ではなく、放出された欲動と言語表象との関係なのではないか。

さらに言えば、三島の創作を突き動かす欲動がどこから備給されているのかを問い直す必要もあろう。著者は、その備給源をあくまでも三島個人の「心身の根深いところ」と見るが、私はこの見解に与しない。私の考えでは、表象こそが欲動の函数であり、欲動を備給するものは言葉をおいてほかにない。三島の作品を言語表象の歴史としての文学史に向かって開くために三島の欲動を表象の歴史のなかで捉え返すこと、それが本書の積み残した、私たちの課題であるに違いない。

（二〇二〇年一〇月、岩波新書、二六〇頁
本体八六〇円＋税）

編集後記

今号の特集は三島由紀夫の評論『作家論』である。『作家論』に収められた近代文学の作家・作品を三島がどう見たのかを、縦横に論じてもらった。執筆者は、ベテランから中堅のそれぞれの作家の専門家あるいは論文のある研究者で、本誌初登場の方々ばかりである。本誌に違う風を入れたいと思ったのだが、いい風を吹き込んでくださった。特に勝又浩氏には、前から依頼したいと思っていて、今回、手練れの文学観察の原稿をいただけたのはうれしかった。

また、楯の会一期生だった篠原裕氏からも、寄稿していただけた。三島没後五十年の昨年、氏のお顔を映画やテレビで何度か見た読者諸氏も多いだろう。

没後五十年で、想像していた以上の出版物が刊行され、演劇上演、イベント、テレビ番組もあった。山中剛史氏に「〈三島没後五十年〉クロニクル」で整理してもらったが、こうして記録を残しておかないと、資料は散逸し記憶はどんどん薄れていく。

書評のページが多くなったのは、出版点数が多かったからである。身内のことながら、井上隆史氏の本が読売文学賞を受賞した。同時に受賞した中村哲郎氏の『評話集 勘三郎の死――劇場群像と舞台回想』にも、三島論が収録されている。

昨年の編集後記に、新型コロナウイルスのことをちょっと書いたが、まさかこの疫病がこれほどまでに居座り、私たちの生活を変えてしまうとは想像しなかった。ゆっくり読書にいそしめているという人は幸いである。

テレワークの大幅な伸びは、職場や学校の仕事形態を変えたばかりではない。ものを書く人たちの、東京近辺に住む必要がますますなくなったことを意味している。かつてはそうではなかったのである。地方にいる書き手の台頭が見込め、その発掘が望まれる。これはチャンスにほかならない。文学の領域が狭まっていく中で、文学を「不要不急」としない人たちが、あらゆる町や村で立ち上がり、発信する。そのためには何が必要かが問われている。必要なのは情報インフラよりも個人の力量なのだが、〝地方〟はそれを育む環境に今あるのだろうか。

（佐藤秀明）

三島由紀夫研究㉑
三島由紀夫・『作家論』
発　行――令和三年（二〇二一）四月二五日
編　集――松本　徹・佐藤秀明・井上隆史・山中剛史
発行者――加曽利達孝
発行所――鼎　書　房　http://www.kanae-shobo.com
〒132-0031　東京都江戸川区松島二-一七-二
TEL・FAX　〇三-三六五四-一〇六四
印刷所――太平印刷社
製本所――エイワ

ISBN978-4-907282-71-4　C0095